IK REKEN FOUT

16,95

MARTINE CEYSSENS

IK REKEN FOUT

Omgaan met rekenproblemen

Een gids voor ouders, leerkrachten
en begeleiders

lannoo

Dit boek met al zijn voorbeelden, hulpmiddelen en oefeningen rond rekenproblemen is ontstaan dankzij Julie, Aurelie, Valentina, Helena, Robbe, Helene, Ulrike, Charlotte, Jonas, Pieter, Kristof... Zij dwongen mij om 'rekenen' op een andere manier aan te pakken.

En het neerschrijven van dit alles is er gekomen dankzij de steun van familie, vrienden en collega's. In het bijzonder wil ik Kaat, Marc, Anne-mie, mijn ouders en Piet bedanken. Hun aanmoedigingen en kritische blikken betekenden een extra stimulans om alles op papier te zetten.

www.lannoo.com

Omslagontwerp Citroen*Citroen*
Auteursfoto Kristof Ghyselinck
© Uitgeverij Lannoo nv, Tielt, 2002
D/2002/45/356 – ISBN 90 209 5003 7 – NUR 847

Gedrukt en gebonden bij Drukkerij Lannoo

Inhoud

DEEL 1

Ik reken fout

Inleiding

'Staat hier nu 35 of 53?'
'Moet ik bij delen en vermenigvuldigen aan de rechter- of aan de linkerkant beginnen te werken?'
'Onze tafel in de keuken is 5 dm².'
'Is het vandaag woensdag of donderdag?'
'Hoeveel is 7 x 4 nu ook alweer?'
'Ik zal nooit uit mijn hoofd kunnen rekenen!'
'52 – 38=… euh, je doet 50 – 30 en daarna 8 – 2.'
'Ik haat delen!'
'40 ligt tussen 20 en 80.'

Allemaal uitspraken van kinderen met een rekenprobleem. Sommigen van hen hebben een ruimtelijk-visueel probleem waardoor ze zowel in lezen en spelling als in rekenen meer of minder goed zijn, terwijl anderen een geïsoleerde rekenstoornis hebben. Deze laatste groep heeft vaak weinig rekeninzicht. Bij hen lukt het niet altijd om enkele tips te geven. Je merkt dat hun rekenprobleem hardnekkiger is en dus ook meer herhaling en oefening vraagt.

De kinderen met een onderliggend ruimtelijk-visueel probleem hebben meestal problemen met de richting van de getallen, maar ook met de richting van de letters (b of d, n of m, eu of ue). Daarnaast verloopt de automatisatie van de tafels en het delen niet vlekkeloos. Veel herhaling is noodzakelijk. We zien bij hen vaak dat ze niet weten hoe ze moeten beginnen. Denk maar aan delen en vermenigvuldigen: hoe moet ik de getallen schikken, waar schrijf ik mijn bewerkingsteken en moet ik bovenaan of onderaan beginnen met vermenigvuldigen? Meestal zien we hen in het begin erg knoeien, maar na verloop van tijd hebben ze de strategie onder de knie.

De aanleiding voor dit boek waren de vele kinderen met een ruimtelijk-visueel probleem die begeleiding zochten voor hun lees- en schrijfstoornis. Door hun ruimtelijk probleem hadden ze voortdurend moeite met rekenonderdelen die niet vlot verliepen. Maal- en deeltafels, maten en gewichten, kommagetallen… Steeds vroegen ze hulpmiddelen waardoor dit boek geleidelijk is gegroeid. Maar deze hulpmiddelen en oefeningen hebben ondertussen ook hun nut bewezen bij kinderen met een hardnekkige rekenstoornis.

Doordat kinderen steeds met nieuwe rekenproblemen kwamen, ontstond er geleidelijk een soort 'truken- en hulpmiddelendoos'. Kinderen waren opgelucht als ze na de therapie een hulpmiddel hadden gekregen voor hun toets de dag erna. Vooral de tafels en het delen zijn een steeds terugkerend probleem. Er werd geprobeerd om voor elke moeilijkheid iets te zoeken. Soms is dit een regel die misschien al in de klas werd geleerd maar nu systematisch en in het tempo van het kind wordt aangebracht, soms is het een trucje dat steunt op hun verbaal sterke kant (bijvoorbeeld het hoofdstuk over de tafels) en soms zijn het hulpmiddelen die kinderen kunnen gebruiken om hun oefeningen te maken in de klas (bijvoorbeeld het doosje voor de maatgetallen).

Het wordt duidelijk: deze hulpmiddelen zijn niet ontstaan door wetenschappelijk onderzoek, maar in de praktijk. Het leek mij zinvol om ze op papier te zetten zodat ook andere kinderen met soortgelijke problemen geholpen kunnen worden.

Dit boek is dan ook vooral praktisch van aard. Naast uitleg over de diagnose van rekenproblemen en de typische problemen die zich kunnen voordoen in elk leerjaar, werd er vooral aandacht besteed aan de aanpak van deze problemen. Er werd geprobeerd om alles zo concreet mogelijk weer te geven. Bovendien zijn er heel wat trucjes en hulpmiddelen in stickervorm, zodat er zowel in de klas als thuis of in therapie zo efficiënt mogelijk gewerkt kan worden.
Maar niet altijd lukt het om een probleem dadelijk op te lossen. Het zelfbeeld van het kind daalt en de frustraties worden groter. Daarom werden er ook tips toegevoegd voor in de klas en thuis. Afhankelijk van de ernst van het probleem, afhankelijk van het kind zelf en ook afhankelijk van de school of leerkracht kan er voor enkele compenserende maatregelen gekozen worden.

En tot slot:

$1 + 1 = 2$

Maar **1** kind met een rekenprobleem + **1** leerkracht of therapeut met hulpmiddelen = 3.

Test zelf maar uit!

Martine Ceyssens
juni 2002

1. Wat is een rekenprobleem?

Lotte is 9 jaar oud en zit in het derde leerjaar/groep 5. Taal en lezen vindt ze leuk op school, maar rekenen 'haat' ze. Ze heeft op school problemen met de tafels en deelsommen en klokkijken lukt niet. Nu ze ook nog oefeningen moet doen met hoofdrekenen tot 1000 slaat ze helemaal dicht. Wanneer je aan haar vraagt welk huisnummer ze heeft, schiet ze in paniek. Was het nu 59 of 95? Ook haar telefoonnummer roept twijfels op. Lotte beseft heel goed dat getallen en alles wat daarmee te maken heeft voor haar problemen opleveren.
Toen er een nieuwe jongen in de klas kwam en ze zich moest voorstellen, zei ze dat ze Lotte heette en niet zo goed kon rekenen. Haar rekenprobleem begon dus ook op emotioneel vlak een belangrijke rol te spelen.

Jos doet zijn eerste leerjaar/groep 3 over en heeft problemen met lezen, spellen en rekenen. Vooral de automatisatie van splitsingen onder 10 zit er nog niet zo goed in. Nu ook de brugoefeningen erbij komen, loopt hij helemaal vast. Thuis wordt er vaak geoefend maar toch lijkt het alsof al dat oefenen verloren moeite is. Hij gaat zo traag vooruit dat de achterstand alleen maar groter wordt.

Twee verschillende voorbeelden maar allebei hebben deze kinderen problemen met rekenen. Bij Lotte is het duidelijk dat het rekenprobleem geïsoleerd voorkomt. Lezen en schrijven gaan goed. Bij haar is er sprake van een rekenstoornis. Zij heeft op verschillende deeldomeinen van rekenen problemen en kan de strategieën niet onthouden. Ook Jos heeft rekenproblemen. Bij hem ligt het iets ingewikkelder. Naast zijn lees- en schrijfprobleem heeft hij het ook moeilijk met de automatisatie van bepaalde rekenonderdelen. Vaak zien we in de praktijk dat kinderen met een visueel-ruimtelijke lees- en schrijfstoornis ook bij bepaalde onderdelen van rekenen uitvallen.

Meestal hebben zij wel een rekeninzicht, maar hebben ze moeite met de richtingsaspecten binnen het rekenen. Zo zullen delen en vermenigvuldigen in het begin problemen opleveren omdat dit erg ruimtelijk is, maar wanneer de techniek gekend is, gaat dit meestal goed. Of zij zullen lange tijd de cijfers spiegelen van het 100-veld terwijl ze het getal wel juist kunnen lezen of interpreteren.

Julie moet een oefening uitrekenen. Ze geeft als antwoord 'zesennegentig'. Wanneer ze de uitkomst opschrijft, staat er 69.
Het is duidelijk dat ze wel kan rekenen maar ze heeft problemen met de plaatsing van haar getallen.

Er is vaak een verschil tussen de rekenproblemen bij kinderen met een lees- en schrijfstoornis (dyslexie) en bij kinderen met een geïsoleerd rekenprobleem. In dit laatste geval spreekt men meestal over 'dyscalculie'. Kinderen met een dyslexie die vooral van ruimtelijk-visuele aard is, maken vaak fouten met de richting van getallen of hebben in de kleuterklas ook al moeilijkheden met begrippen als rechts, links, boven, onder, naast… en met de logische reeksen zoals de dagen van de week, de maanden en de seizoenen.

Maar wat wordt nu onder een rekenstoornis verstaan?

In de praktijk spreek je van een rekenstoornis wanneer de kinderen op hun rekentesten zwak uitvallen in vergelijking met hun leeftijdsgenootjes terwijl die zwakte niet kan verklaard worden door een andere oorzaak zoals algemene zwakke begaafdheid, medische problemen (bv. langdurige ziekte), aandachtsstoornissen, didactiek (bv. weinig structuur in de klas of geen goede opbouw in het aanbrengen van nieuwe leerstof), weinig stimulerende omgeving…
Via gestandaardiseerde testen kan dit uitgemaakt worden.

Deze manier van werken is voor een deel terug te vinden in de definitie van de DSM IV (classificatiesystemen voor psychische stoornissen en gedragsstoornissen, 2000) die rekenstoornissen als volgt bepaalt:

'De rekenkundige begaafdheid ligt, gemeten met een individueel afgenomen gestandaardiseerde test, aanzienlijk onder het te verwachten niveau dat hoort bij de leeftijd, de gemeten intelligentie en de bij de leeftijd passende opleiding van de betrokkene.

Ik reken fout

De stoornis interfereert in significante mate met de schoolresultaten of de dagelijkse bezigheden waarvoor rekenen vereist is.

Indien een zintuiglijk defect aanwezig is, zijn de rekenproblemen ernstiger dan die welke hier gewoonlijk bij horen.'

In het eerste deel van de definitie vinden we voor een deel terug wat ouders vaak vertellen: 'We hadden geen problemen verwacht, er komt niet uit wat erinzit, je hebt het gevoel dat ze beter kunnen.'

Daarnaast vind je in de literatuur enkele algemene definities terug. Meestal worden hier rekenproblemen gedefinieerd in functie van hun theoretische achtergrond. De ene theorie legt meer nadruk op het uitvoeren van denkhandelingen terwijl een andere theorie meer nadruk legt op de verwerking van informatie. We geven enkele definities ter illustratie.

Ruijssenaars (1997) beschrijft in zijn boek over rekenproblemen hoe Van Erp vooral op de Russische leerpsychologie steunt. Zij ziet rekenproblemen als volgt:

'Leren rekenen en dus het leren denken bij het rekenen wordt opgevat als een proces dat gebaseerd is op concrete handelingen, die zich (onder invloed van gericht onderwijs) 'ontwikkelen' tot denkhandelingen. Rekenproblemen ontstaan als kinderen vastlopen in dit proces van verwerving van vaardigheden.'

Verder vinden we terug hoe rekenproblemen gezien worden in het proces van de informatieverwerking:

'Rekenproblemen zijn dus organisatie- en strategieproblemen. Kenmerkend is dat daarbij het eigen denkgedrag onvoldoende wordt gestuurd.'

Samenvattend schrijft Ruijssenaars (1997) dat 'het leren van en omgaan met de rekentaal, uiteindelijk in de vorm van symbolen en formules' kenmerkend is voor rekenen.

In het hoofdstuk 'Op weg naar een diagnose' wordt verder ingegaan op het testen van het kind. Ouders worden wegwijs gemaakt in wat zij mogen verwachten van een test, waar en door wie dit kan gebeuren en hoeveel dit kan kosten.

Waar hebben zij het moeilijk mee?

Een kind met een ruimtelijk-visueel probleem of een kind met een geïsoleerde rekenstoornis heeft meestal op meerdere terreinen problemen. Vaak overlappen hun problemen elkaar ook. Het is niet zo dat een kind met een geïsoleerde rekenstoornis totaal andere fouten maakt dan een kind met een ruimtelijk-visueel probleem. Wel zien we dat een kind met een rekenstoornis soms minder rekeninzicht heeft dan een kind met een ruimtelijk-visueel probleem.

Bij het onderstaand voorbeeld zien we dat het kind richtingsproblemen heeft maar op technisch vlak wel kan rekenen. Zijn oefeningen zijn correct!

In hetgeen volgt, wordt er een chronologisch overzicht gegeven van de mogelijke problemen die de kinderen zullen ervaren als zij een reken-stoornis of een ruimtelijk-visueel probleem hebben. Niet alle problemen zullen bij elk kind voorkomen. Afhankelijk van de ernst of van het soort probleem zal het ene kind meer problemen ondervinden dan het andere kind.

Kleuterklas

In de kleuterklas merken ouders en kleuterjuffen vaak op dat ze moeilijkheden ondervinden met bepaalde begrippen; begrippen zoals voor, achter, links, rechts, naast, boven en onder zorgen vaak voor verwarring. Anderen blijven zowel hun naam als woordjes die ze mogen 'overtekenen' hardnekkig spiegelen. Op zich is spiegelen in de kleuterklas geen echt probleem. Elk kind spiegelt weleens, maar wanneer dit in de laatste kleuterklas op meerdere vlakken zeer hardnekkig blijft voortduren, kan dit wel een signaal zijn.

Naast ruimtelijke begrippen zijn tijdsbegrippen zoals morgen, gisteren en de dagen van de week ook niet altijd eenvoudig.

'Ik ben morgen naar het circus geweest!'
Celine bedoelde eigenlijk gisteren.

'Lien, buig je hoofd eens voorover zodat ik het kan wassen!'
Lien gooit haar hoofd naar achteren.

Wanneer Merel een oefening moet maken roept ze 'Mamamia' en ze slaat een kruisteken. Maar wel in de verkeerde richting.

In de kleuterklas beginnen kinderen ook al te tellen. Meestal wordt van hen verwacht dat ze tot 20 komen. Voor sommige kinderen is dit een probleem. Of ze verwisselen bepaalde getallen óf ze onthouden er een aantal niet.

Wanneer ze een paar cijfers leren schrijven, maken ze ook vaak spiegelingen.

Kinderen met een ruimtelijk-visueel probleem zullen in de kleuterklas ook minder snel de knutselhoek kiezen of het blokkenspel. Toch niet wanneer hun een vast bouwpatroon wordt voorgelegd. Fantasie hebben zij meestal genoeg maar een constructie stapsgewijs nabouwen, lukt hen meestal niet.

Tijdens een gesprek over het ruimtelijk-visueel probleem vertelt de moeder van Bert dat hij eigenlijk wel veel met blokken en lego speelt. Meestal doet hij dit samen met zijn broer.
Wanneer we samen zijn spel analyseren valt op dat zijn broer de constructies bouwt en dat hij het fantasiespel leidt. Hij laat de 'figuurtjes' leven.

Vaak zijn dit de kinderen die ouders en leerkrachten een verkeerd beeld geven omdat ze verbaal sterk zijn, voortdurend praten, fantaseren en intelligent overkomen. Door hun sterke verbaliteit kunnen ze hun zwakkere ruimtelijke vaardigheden compenseren.

> De meeste kinderen spiegelen weleens maar wanneer dit hardnekkig blijft voortduren, kan het wel een signaal zijn.

Lagere school
In het **eerste leerjaar/groep** 3 worden de eerste stappen gezet naar het rekenen. Men start met het aanvankelijk rekenen (tot 10). Hier is het noodzakelijk dat men kan tellen tot 10, de cijfers in de juiste richting kan weergeven en leert optellen en aftrekken onder 10.
Vaak zien we dat kinderen hier al vastlopen. De 6 en 9 worden gespiegeld, de oefeningen worden van rechts naar links gemaakt, er is geen getalinzicht waardoor er steeds opnieuw bij 1 begonnen moet worden om te tellen in plaats van gewoon verder te tellen.
Een stap later komen oefeningen als 2 + 8 en 6 + 3 aan bod. Sommige kinderen krijgen dit niet geautomatiseerd.

De getalsplitsing wordt vaak erg ruimtelijk voorgesteld waardoor zij al met een achterstand vertrekken.

Bijvoorbeeld:

9	
4	5

Toch hebben niet alle kinderen hier problemen mee. Meer kinderen hebben last met de brugoefeningen. Oefeningen als 8 + 7 of 5 + 6 lukken alleen als er op de vingers geteld mag worden. Vaak zie je hen dan trucjes gebruiken omdat we maar 10 vingers hebben! De tenen doen mee, de kleurpotloodjes die op de bank liggen vormen een hulpmiddel of de staafjes en de blokjes in de klas blijven lange tijd dienstdoen.

Wanneer kinderen dan eindelijk deze oefeningen beheersen, komen er puntoefeningen. Vooral kinderen met een ruimtelijk probleem raken dan de weg kwijt:

$5 + \ldots = 10 \qquad \ldots + 6 = 13 \qquad 13 = \ldots + 4 \qquad 18 - \ldots = 12 \qquad \ldots - 3 = 15$

Moeten we nu optellen of aftrekken? En wát moeten we nu optellen en aftrekken? Welk getal moet er eerst? Deze oefeningen vormen vaak een chaos.

$$9 - 3 = 6$$
$$13 - 4 = 9$$
$$16 - 15 = 11$$
$$10 - 10 = 0$$
$$7 - 8 = 1$$

Ook getallen op een getallenlijn plaatsen is niet vanzelfsprekend, vooral wanneer er verscheidene plaatsen na elkaar vrij zijn.

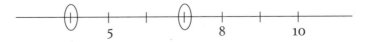

Deze oefeningen zijn vergelijkbaar met de oefeningen waarbij gevraagd wordt 'welk getal ligt tussen... en...' of 'welk getal komt net vóór of net na...'.

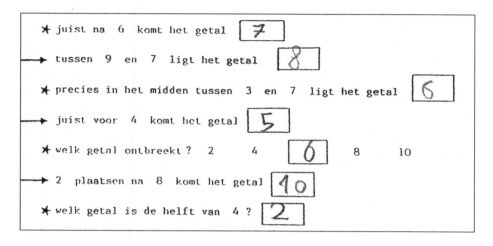

In het **tweede leerjaar/groep** 4 vormen de tafels en deelsommen het grootste struikelblok. Bijna elk kind met een leerstoornis (zowel lees- en schrijfproblemen als rekenproblemen) heeft moeite met de automatisatie ervan. Ouders vertellen dat er veel oefening aan voorafgaat en dat ze alles zo snel vergeten zijn wanneer het oefenen even wordt gestaakt. Kinderen met dyscalculie (of rekenstoornis) hebben niet altijd problemen met tafels en deelsommen, omdat hier geen rekeninzicht gevraagd wordt. Dit kunnen ze vanbuiten leren en dat lukt soms vrij goed, als ze tenminste een goed auditief geheugen hebben.

Koen is 15 jaar oud en volgt de sociaal-technische richting. Hij is goed begaafd maar heeft dyslexie. Bij het onderzoek wordt ook even nagegaan of de basisbewerkingen (optellen, aftrekken, tafels en deelsommen) van het rekenen geautomatiseerd zijn. Koen behaalt bij de tafels en deelsommen een score die overeenkomt met het niveau van het vierde leerjaar/groep 6. Opnieuw wordt duidelijk dat zijn tafels en deelsommen niet geautomatiseerd zijn. Vooral bij delen, vermenigvuldigen en breuken ondervindt hij dat zijn werktempo hierdoor vertraagd wordt.

Ik reken fout

In het tweede leerjaar/groep 4 komen ook de getallen tot 100 aan bod. Opnieuw een struikelblok voor kinderen met een richtingsprobleem. Want 'wat moeten we nu eerst schrijven'? Voor anderen is het moeilijk om de tussenbewerkingen te onthouden (56 + 38) of de juiste rekenstrategie toe te passen. Vaak missen kinderen een tiental bij aftrekkingen zoals 50 – 18. Ze schrijven als uitkomst 42 in plaats van 32. Soms zie je kinderen het juiste getal zeggen maar schrijven ze het spiegelbeeld op. Of ze schrijven het op en 'zien' dat er iets niet klopt en verbeteren dan.

Ook het 100-veld biedt geen hulp. In dit rooster, waarbij men in een vierkant alle getallen tot 100 voorstelt, is het voor kinderen met een ruimtelijk probleem helemaal niet duidelijk op wélke plaats wélk getal moet komen. En het wordt nog ingewikkelder wanneer gevraagd wordt welk getal vlak vóór een bepaald getal komt. Want hier zijn visueel verschillende mogelijkheden.

45	46	47
55	56	57
65	66	67

Vlak vóór 56 komt 55 of 57 als je moeite hebt met 'voor' en 'achter'. Of misschien is het wel 46 of 66, want deze getallen liggen ook in de buurt.

Ondertussen is men ook volop bezig met het leren van de klok en opnieuw is dit voor kinderen met een richtingsprobleem niet vanzelfsprekend.
Wat kan er allemaal misgaan?
- De grote en kleine wijzer worden verwisseld.
- De kleine wijzer wordt net na het uur in plaats van net vóór het uur geplaatst.
- Het aantal minuten wordt foutief geteld.
- 'Over' en 'voor' worden verwisseld (bijvoorbeeld kwart over 10 in plaats van kwart voor 10).
- Digitale notering verloopt anders dan het gewoon lezen van de tijd.
- Het verschil niet weten tussen 8.05 en 20.05.
- Men telt tot 100 in plaats van tot 60.

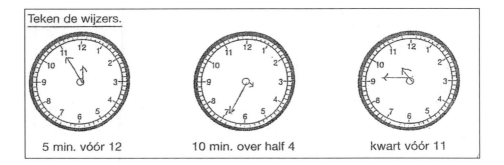

Teken de wijzers.

5 min. vóór 12   10 min. over half 4   kwart vóór 11

Ik reken fout

Bij het tweede voorbeeld is duidelijk dat Pieter-Jan de grote en kleine wijzer van plaats verwisselt. Bovendien vergist hij zich dan nog 5 minuten.
Sommige kinderen dragen om deze redenen een digitaal horloge of
helemaal geen horloge.

In het tweede leerjaar/groep 4 wordt ook gestart met maten en gewichten. Dit wordt in de volgende leerjaren steeds meer uitgebreid. Sommige kinderen hebben moeite om zich bepaalde maten voor te stellen. Is
mijn liniaal 30 centimeter of 30 meter? Is de afstand tot school 2 meter
of 2 kilometer? Kan er in een fles melk 1 liter of 1 centiliter? Hoe vaak kan
100 gram in 1 kilo?
In het tweede leerjaar/groep 4 komen de basisbegrippen aan bod, in de
volgende jaren wordt dit uitgebreid met oefeningen en vlakte- en ruim-
tematen.
Hier hoort ook het meten van de temperatuur thuis. Het onderstaande
voorbeeld geeft aan wat er mis kan gaan:

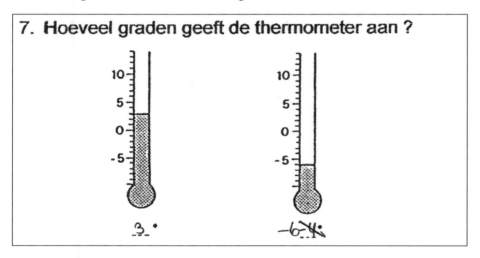

In dit voorbeeld wordt duidelijk dat negatieve getallen voor een extra
moeilijkheid zorgen omdat ze in de andere richting worden geschreven.
Je moet dus vanaf 0 beginnen tellen en niet van onderaf.

Bij getallenkennis is het belangrijk dat de kinderen hun rekentaal kennen. Ze moeten weten wat het dubbele, de helft, vermeerderen en verminderen betekent om hun oefeningen te kunnen uitvoeren. Ook dit
zorgt soms voor problemen, omdat kinderen deze taaltermen niet aan
rekensymbolen kunnen koppelen.

Wat is een rekenprobleem?   23

In het **derde leerjaar/groep 5** wordt de getalstructuur nog maar eens uitgebreid. Tijdens dit schooljaar moeten de kinderen leren om te kunnen tellen en rekenen tot 1000. Wanneer je al moeilijkheden hebt met bewerkingen tot 100, is het logisch dat er hier opnieuw problemen zullen opduiken. De volgorde binnen een getal wordt vaak verwisseld. Ook zullen sommigen de tussenbewerkingen minder goed onthouden of gebruiken ze gewoon een verkeerde strategie.

Ook wordt er gestart met breuken en vanwege ruimtelijke problemen twijfelen ze hier vaak welk getal boven de breukstreep moet staan en welk getal eronder.
Ook het klokkijken wordt verder geoefend.

Het **vierde, vijfde en zesde leerjaar/groep 6, 7 en 8** worden het best samengenomen omdat alles niet meer zo geïsoleerd wordt aangeleerd. Ook hangt het een beetje van de gebruikte methode of van de school af wat er in welk schooljaar wordt aangeleerd.
In elk geval wordt het werken met de breuken verder uitgebreid. Optellen, aftrekken, vermenigvuldigen, delen, vereenvoudigen en gelijke noemers maken, komen aan bod. Vaak lopen ze bij het delen van breuken vast omdat ze hier een omgekeerde bewerking moeten maken. Ze vergeten de strategie of verwisselen de getallen.

24   *Ik reken fout*

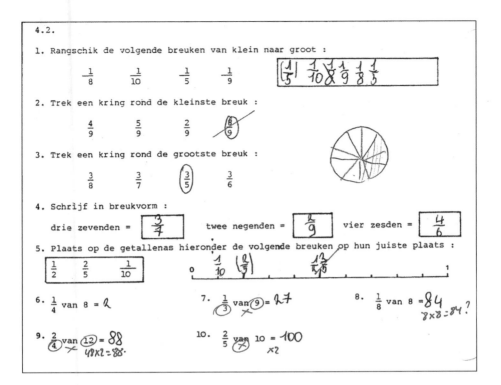

4.2.

1. Rangschik de volgende breuken van klein naar groot :

$\frac{1}{8}$ $\frac{1}{10}$ $\frac{1}{5}$ $\frac{1}{9}$ $\boxed{\frac{1}{5} \quad \frac{1}{10} \quad \frac{1}{9} \quad \frac{1}{8} \quad \frac{1}{5}}$

2. Trek een kring rond de kleinste breuk :

$\frac{4}{9}$ $\frac{5}{9}$ $\frac{2}{9}$ $\frac{8}{9}$

3. Trek een kring rond de grootste breuk :

$\frac{3}{8}$ $\frac{3}{7}$ $\boxed{\frac{3}{5}}$ $\frac{3}{6}$

4. Schrijf in breukvorm :

drie zevenden = $\frac{3}{7}$ twee negenden = $\frac{2}{9}$ vier zesden = $\frac{4}{6}$

5. Plaats op de getallenas hieronder de volgende breuken op hun juiste plaats :

$\frac{1}{2}$ $\frac{2}{5}$ $\frac{1}{10}$ 0 ... 1

6. $\frac{1}{4}$ van 8 = 2

7. $\frac{1}{3}$ van 9 = 27

8. $\frac{1}{8}$ van 8 = 84 $8 \times 8 = 84$?

9. $\frac{2}{4}$ van 12 = 88 $44 \times 2 = 88$.

10. $\frac{2}{5}$ van 10 = 100 $\times 2$

In het eerste voorbeeld zien we dat Elise weinig rekeninzicht heeft. Ze mist een aantal strategieën. Ze weet niet hoe ze breuken moet optellen en vermenigvuldigen (oefening 9). Daarnaast zien we ook nauwkeurigheidsfouten (oefening 4): ze telt op in plaats van te vermenigvuldigen. In het voorbeeld van Yan wordt duidelijk dat hij niet de strategie kent om een breuk te nemen van een getal (oefeningen 6 tot 10). Hij vermenigvuldigt steeds de noemer met het grondgetal.

Daarna wordt de link gelegd met procenten en kommagetallen. Voor kinderen met een ruimtelijk probleem komt er weer een moeilijkheid bij: 'Moet ik de komma naar rechts opschuiven of naar links? Moet ik er aan de rechterkant of aan de linkerkant een 0 bij zetten? Als ik er rechts nullen bij zet, verandert er niets aan mijn getal of wel?'
Voor de procenten geldt dat alles het best naar breuken kan worden omgezet en dat men de rekenregels van de breuken toepast. Men moet dus snel kunnen wisselen van rekenmethode.

Wat is een rekenprobleem?

Een voorbeeld maakt duidelijk wat dit kind ervaart:

```
4.7.  Vul in :

Let op : één geheel = 1 G; één tiende = 1 t; één honderdste = 1 h; één duizendste = 1 d

1.   21,275 = ..2.1.. G ...2.. t .4... h ..5. d

2.   14 G 8 t 5 h 3 d = .14,853.......

3.  Is 0,4 evenveel als 0,400 ?   JA  (NEEN)        (Onderstreep wat juist is)

4.  5,2 is ..10.. keren groter /(kleiner)(onderstreep wat past !)  dan 52.

5.  64 is ..10.. keren(groter)/ kleiner  (onderstreep wat past !)  dan 0,64.

6.  Vul in deze reeks het passende getal in :

          2,51    2,53   2,55    2,57     2,59                        7/10.

7.  124 : 100 = ..24..

8.  2,16 x 10 = .21,60

9.  1,115 x 1000 = .11.15

10. Plaats op de getallenas :  0,6    1,3    0,9

      0                    0,6    0,9 1      1,3                         2
```

In oefening 5 vergist Lobke zich: 64 is niet 10 maar wel 100 keer groter dan 0,64. Ook de voorgaande oefeningen geven problemen.

Kommagetallen komen nu al eerder aan bod met de invoering van de euro. Dus ook jongere kinderen zullen hier problemen mee ondervinden.

In het vierde leerjaar/groep 6 wordt er ook gestart met delen en vermenigvuldigen op papier. Voor veel kinderen die problemen hebben met hoofdrekenen is dit een welkome oplossing. Toch zien we dat sommige kinderen in de beginfase moeite hebben met de juiste richting van de bewerkingen. Immers, de getallen moeten goed geschikt zijn, je moet in de juiste richting beginnen te werken en bij het delen moet je de juiste volgorde van de bewerkingen onthouden. Ook lenen bij een aftrekoefening is niet altijd eenvoudig. Meestal zien we dat delen en vermenigvuldigen in het begin weleens voor moeilijkheden zorgen, maar dat na een tijdje de rekenstrategie geautomatiseerd is en nog weinig problemen geeft. Alleen de kinderen die chaotisch zijn en weinig structuur hebben,

Ik reken fout

blijven het moeilijk vinden om de oefeningen 'mooi' onder elkaar te schrijven.

In het eerste voorbeeld vond de leerkracht dat Miens manier van werken 'onverklaarbaar' was. Maar als we even haar oefening analyseren, zien we dat ze alleen een richtingsfout heeft gemaakt. In plaats van te beginnen met het laatste cijfer, heeft zij het eerste cijfer genomen en dat vermenigvuldigd met het laatste cijfer van het eerste getal. Rekentechnisch heeft ze geen fouten gemaakt.

In het tweede voorbeeld zie je dat Senne zijn bewerkingsteken aan de verkeerde kant heeft gezet. Bovendien schrijft hij het kleinste getal beneden en begint hij vanboven naar onderen te vermenigvuldigen.

Allebei zijn dit voorbeelden van richtingsfouten, want rekentechnisch zitten deze oefeningen wel goed.

Vanzelfsprekend wordt ook hier de getalstructuur uitgebreid. Men leert tot 100 000 en later tot 1 000 000. Voor veel kinderen geeft dit opnieuw problemen. Vijf honderd en negen duizend: moeten we dit als 500 009 schrijven of als 100 509 of als 509 000? Zowel bij het lezen van de getallen als bij het noteren zien we problemen. Wanneer de getalstructuur al in groepjes van 3 is verdeeld, lukt het soms iets beter. Zo leest bijvoorbeeld 100025 moeilijker dan 100 025. Dit principe zal in het hoofdstuk over therapie ook verder worden uitgelegd.

Naast de lengte- en gewichtsmaten komen nu ook de oppervlakte- en inhoudsmaten aan bod. Weer is het niet eenvoudig om inzicht te krijgen in deze materie. Bij de inhoudsmaten komen ook de ruimtelijke figuren aan bod zoals balk, cilinder en piramide.
Kinderen met een ruimtelijk probleem hebben hier vaak geen inzicht in. Bij het maken van oefeningen kunnen zij zich deze figuren niet voorstellen. Soms is het nodig om kleine blokjes voor zich te leggen of ruimtelijke figuren in elkaar te knutselen. Bonbondoosjes, of wat men in Vlaanderen suikerboondoosjes noemt, kunnen hier ook weleens dienstdoen.

Kinderen die eerder aandachtsproblemen hebben, maken hier meestal de fout om niet de juiste eenheden te schrijven. Voor hen is cm even goed als cm^2 of cm^3.

En natuurlijk zijn de omzettingen bij deze maten (bijvoorbeeld van m^2 naar km^2) in het begin weer een mogelijk struikelblok. Hier moeten immers 2 plaatsen opgeschoven worden.

Ook hoeken meten kan problemen geven: waar moet ik beginnen te meten, wat doe ik met een hoek die meer is dan 180°, wat is het verschil tussen een gestrekte hoek en een nulhoek, waar moet ik op mijn geodriehoek kijken?

Middelbare school
Op de middelbare school krijgen kinderen met een ruimtelijk probleem vooral problemen met de vakken technologie, aardrijkskunde, technisch tekenen en wiskunde.

Ik reken fout

Zo krijgen zij in het eerste jaar oefeningen in het tekenen van voor-, boven- en zijaanzichten. Doordat zij geen ruimtelijk inzicht hebben, kunnen zij zich moeilijk voorstellen wat er eventueel achter het vlak te zien is.

Voor aardrijkskunde kunnen bijvoorbeeld de kaarten weleens tot vergissingen leiden. Dezelfde blinde kaart maar kleiner of groter of in een andere lay-out kan voldoende zijn om fouten te maken. Ook is het niet duidelijk te bepalen hoe Amsterdam ten opzichte van Brussel ligt. 'Moet ik dan kijken vanuit Amsterdam of vanuit Brussel? En is dat dan noord-oost of zuidwest? De meesten hebben de windrichting ondertussen via allerlei trucjes uit het hoofd geleerd, maar toch blijft dit een aandachts-punt voor hen.

Kinderen met dyscalculie blijven ook op de middelbare school proble-men hebben met wiskunde. Meestal vallen zij uit op verschillende ter-reinen. Vaak gaan ze ook met een achterstand naar de middelbare school, waardoor het logisch is dat ze snel uitvallen. Extra oefening en veel herhaling blijven dan ook noodzakelijk.

BESLUIT

In de kleuterklas zijn er soms al aanwijzingen voor eventuele latere rekenproblemen. Toch moeten we hier voorzichtig zijn. Niet alle kinde-ren die het moeilijk vinden om rechts en links te onderscheiden zullen later een rekenprobleem ontwikkelen.

Een aantal kinderen zal een zuiver rekenprobleem hebben, dyscalculie genaamd, terwijl anderen een ruimtelijk-visueel probleem hebben en zowel op het gebied van lezen en spellen als op het gebied van rekenen problemen gaan vertonen.

In dit hoofdstuk kwamen de mogelijke rekenproblemen aan bod die zij zullen ervaren. Ze werden chronologisch geordend. Niet iedereen zal met al deze onderdelen problemen hebben, maar toch zijn dit de meest voorkomende moeilijkheden tijdens de lagere school.

Samengevat zijn dit de grote struikelblokken op de lagere school op het gebied van rekenen:

leerjaar/groep	Struikelblokken
eerste leerjaar/groep 3	- onthouden van de cijfers - splitsingen onder 10 - brugoefeningen - puntoefeningen - rekentaal
tweede leerjaar/groep 4	- tafels en deelsommen - getallen tot 100 - rekenstrategieën bij hoofd- rekenen tot 100 - maten en gewichten - klokkijken
derde leerjaar/groep 5	- getalstructuur tot 1000 - breuken - klokkijken
vierde, vijfde en zesde leerjaar/ groep 6, 7 en 8	- delen en vermenigvuldigen - breuken - oppervlakte- en inhoudsmaten - hoeken meten - kommagetallen - getalstructuur

Ik reken fout

2. Op weg naar een diagnose...

Ouders merken vaak als eerste op dat er iets verkeerd gaat. Het huiswerk verloopt niet vlot of het kind zoekt uitvluchten om zijn rekenwerk niet te hoeven maken. Anderen verstoppen hun huiswerk of verspillen een halfuur met huilen, tegenargumenten zoeken of het uithangen van de clown. Dit alles bewijst dat een leerstoornis vaak gepaard gaat met emotionele problemen. Als ouders er uiteindelijk toch in geslaagd zijn om hun kind voor zijn boeken te zetten, merken ze op dat alles traag gaat. Over één blaadje met rekenoefeningen wordt vaak meer dan een uur gedaan terwijl klasgenootjes na tien minuten alweer aan het spelen waren.

> *De mama van Emilio vertelt tijdens het anamnesegesprek dat Emilio elke avond minstens 2 uur huiswerk moet maken. Hij zit nog maar in het 3de leerjaar (groep 5) en zij vraagt zich af of hij dit wel zal volhouden.*
> *'Hij moet toch ook nog spelen!'*

> *'Onderaan mijn toets stond: 'les beter leren' maar ik heb er de hele week aan gewerkt en zelfs veel meer dan de rest van mijn klas', klaagt Ann-Sophie. 'Dit is toch niet eerlijk.'*

Om extra emotionele problemen te vermijden, is het nodig dat er op tijd een diagnose wordt gesteld. Zowel voor ouders en leerkrachten als voor het kind kan dit een hele opluchting betekenen. Vaak hebben kinderen een heel negatief zelfbeeld en het idee dat ze dom zijn. Een uitgebreid onderzoek waarbij er aandacht uitgaat naar zowel hun zwakke als hun sterke kanten, kan voor heel wat opheldering zorgen!

> *Jonas was een rustige jongen die gemiddelde tot goede resultaten behaalde op school. Wel moest hij hiervoor enorm zijn best doen. Vaak leerde hij in zijn bed nog stiekem verder. De ouders wilden een onderzoek met het oog op een gerichte studiekeuze voor hem. Ze hadden het idee dat hij gemiddelde mogelijkheden had maar dat hij momenteel te veel studeerde.*

Uit de testresultaten kwam naar voren dat Jonas een licht onderliggend leerprobleem had maar dat hij anderzijds hoogbegaafd was. Voor Jonas betekende dit een grote opluchting, hij glunderde en vertelde later in de auto tegen zijn vader dat dit 'het beste was wat hij ooit gedaan had'.

Uit dit voorbeeld blijkt dat een onderzoek soms al een eerste stap in die remediëring kan zijn. Jonas was opgelucht en de ouders wisten nu wat ze van hem konden verwachten.

Onderzoek is soms al een eerste stap in de remediëring!

De weg naar een diagnose is niet altijd evident. Ouders weten niet altijd waar ze terechtkunnen voor een diagnose, wie er een diagnose kan stellen, wat ze mogen verwachten van een degelijk onderzoek en wat zoiets kan kosten.
Hierna wordt geprobeerd om op deze vragen een antwoord te krijgen.

Waar kan men terecht?
1. Wanneer leerkrachten merken dat een kind problemen heeft, wordt in Vlaanderen meestal eerst het CLB (Centrum voor Leerlingbegeleiding) ingeschakeld. Sommige CLB's doen zelf een uitgebreide diagnostiek en bespreken de resultaten met ouders en leerkrachten. Andere CLB's doen een verkennend onderzoek en verwijzen dan door naar de periferie voor verder onderzoek. Uit tijdnood beperkt het CLB zich soms ook tot het uitvoeren van een intelligentieonderzoek in het kader van een ruimer onderzoek bij gespecialiseerde centra of privé-therapeuten. CLB's hebben meestal ook lijsten van therapeuten die in de omgeving werkzaam zijn en naar wie ze kunnen doorsturen. Dit kan voor ouders handig zijn in hun zoektocht naar een therapeut.
    In Nederland kunnen scholen een beroep doen op de Onderwijsbegeleidingsdienst (OBD) voor het stellen van de diagnose. Kinderen bij wie leerkrachten ernstige problemen onderkennen, kunnen door de OBD doorverwezen worden naar een Pedologisch Instituut (PDI). Ook zonder tussenkomst van de OBD is het mogelijk om hier een test aan te vragen.
2. Men kan ook terecht bij revalidatiecentra waar multidisciplinair naar het probleem wordt gekeken. Kinderen komen bij verschillende the-

Ik reken fout

rapeuten, die elk gespecialiseerd zijn op hun terrein. Afhankelijk van de aanmeldingsklacht kunnen zij door een logopedist, pedagoog, psychomotorisch therapeut of psycholoog getest worden.

3. Een grote groep therapeuten heeft zich zelfstandig gevestigd en is gespecialiseerd in leerstoornissen. Voor rekenproblemen kan men een logopedist, pedagoog of psycholoog consulteren. Afhankelijk van de problemen van het kind moet er soms wel doorverwezen worden naar een andere discipline. In sommige regio's in Vlaanderen hebben zelfstandige therapeuten van verschillende disciplines zich verenigd (MIGL= Multidisciplinaire Intervisie Groep Leuven) en zij komen geregeld samen om informatie uit te wisselen, gevallen te bespreken en kinderen gericht door te verwijzen naar andere disciplines. Op deze manier wordt er ook multidisciplinair gekeken naar het kind. Ondertussen zijn er intervisiegroepen in Tienen, Hasselt, Halle en Turnhout opgericht.

4. Daarnaast zijn er ook centra die zich gespecialiseerd hebben in leerstoornissen. Ook hier zijn meestal verschillende disciplines werkzaam.

In deze opsomming wordt duidelijk dat het multidisciplinaire karakter van een onderzoek belangrijk is. Het is waardevol om de visie van verschillende mensen te horen voordat men een etiket op een kind plakt.

Wat mag men verwachten van een onderzoek?
- Een goed onderzoek begint altijd met een anamnesegesprek. Tijdens dit gesprek probeert de therapeut of diagnosticus een overzicht te krijgen van de 'schoolcarrière' van het kind. Wanneer zijn de problemen begonnen? Wat gaat goed? Wat zijn de concrete problemen? Is er over de hele lijn een zwakte of concentreert het zich op rekenen? Op deze manier proberen therapeuten al in een bepaalde richting te denken. Ze kunnen hun onderzoek dan ook in die richting voorbereiden.

  Tijdens dit gesprek komen meestal ook de situaties aan bod waarin leer- en emotionele problemen zich voordoen: de huiswerksituatie is vaak een moeilijk moment, maar ook het werken onder tijdsdruk en steeds de confrontatie aangaan met tegenvallende resultaten kunnen stressvolle momenten worden.

In een gesprek kan het ook belangrijk zijn dat zowel moeder als vader aanwezig is. De aanpak van een leerprobleem is immers zeer intensief en het is belangrijk dat beide partijen de impact hiervan kennen. Ook is het belangrijk dat in een eerste gesprek eventuele vroegere verslagen of testresultaten worden bekeken en dat daar rekening mee wordt gehouden. Uit de evolutie van het kind kan men ook veel leren.

Als therapeut is het ook altijd interessant om observatiegegevens te hebben van de leerkracht. Het kind brengt hier immers de meeste tijd door. In het eerste contact kan gevraagd worden om dit tijdens het anamnesegesprek mee te brengen. Op deze manier wordt de leerkracht ook erkend als waardig observator en dit kan de samenwerking alleen maar ten goede komen.

Naast de observaties van de leerkracht zijn ook de schriftjes van het kind interessant, niet alleen het rekenschrift maar ook een agenda of spellingschrift.

Op deze manier krijgt men tijdens een eerste verkennend gesprek al een veelheid aan informatie.

- Tijdens het onderzoek zelf is het heel belangrijk dat het kind zich op zijn gemak voelt. Het moet vertrouwen hebben in de therapeut. Dit is vaak de reden waarom vroegere resultaten erg kunnen afwijken van de huidige resultaten. Ook moet men er altijd rekening mee houden dat een testafname steeds een momentopname is. Als de resultaten totaal niet in de lijn van de verwachtingen liggen, moet men zich afvragen of het kind bijvoorbeeld niet een slechte dag had door een of andere gebeurtenis.

De moeder van Jolien belt in paniek op omdat de resultaten voor lezen onder de verwachting liggen. Ze is zelfs met 2 niveaus gedaald.
Wanneer ze haar volledig verhaal verteld heeft, blijkt dat de directrice van de school een aantal kinderen getest heeft en Jolien zich niet echt op haar gemak voelde.
(Toen de testen een week later door de juf opnieuw werden afgenomen, haalde ze opnieuw haar normaal niveau.)

Een kind moet zich goed voelen bij de diagnosticus of therapeut !

De onderdelen die meestal aan bod komen in een onderzoek zijn de volgende:

1. Een intelligentietest. Hiermee krijgt men een idee van de mogelijkheden van het kind. Is het hoogbegaafd? Is er een groot verschil tussen zijn verbale en ruimtelijke vaardigheden? Heeft het voldoende om te compenseren? Of is het over de hele lijn zwak waardoor je moet opletten dat je niet te veel eist van het kind?
   Bovendien krijgt men via de verbale en ruimtelijke onderdelen van de test ook extra informatie voor de rest van het onderzoek. We zien bijvoorbeeld vaak dat de ruimtelijke onderdelen zwakker scoren bij een kind met rekenproblemen. We kunnen ons dan afvragen of dit ook in andere testen naar voren komt.
   Belangrijk is ook om steeds te observeren op welke manier het kind tot zijn oplossing komt. Gebruikt het strategieën of trucjes, werkt het controlerend of eerder impulsief, heeft het voortdurend bevestiging nodig of is het eerder zeker van zijn zaak? Allemaal extra informatie die meegenomen moet worden bij de andere tests.
2. Geheugentests. Hiermee krijgt men een idee over de manier van informatieverwerking, op welke manier het kind zijn materiaal opslaat in zijn geheugen. Ook met het oog op therapie kan het waardevol zijn om de zwaktes en sterktes van een kind te kennen op het gebied van zijn geheugen. Het is belangrijk om zowel het verbale als het ruimtelijke geheugen te onderzoeken en ook aandacht te schenken aan observatie. Het verbale geheugen kan bijvoorbeeld getest worden door het kind een aantal woorden te laten onthouden. Via gestandaardiseerde tests krijgt men dan resultaten die men vergelijkt met leeftijdsgenoten. Het ruimtelijk geheugen kan bijvoorbeeld nagegaan worden door het kind een ruimtelijke figuur te laten onthouden en het daarna te laten tekenen. Het is interessant om na te gaan of het kind de hoofdstructuren van een tekening kan herkennen.
3. Schoolse vorderingen. Wanneer het kind wordt aangemeld met een rekenprobleem, is het logisch dat rekenen getest wordt. Er kan gekeken worden of het kind rekeninzicht heeft en of het strategieën gebruikt. Sommige kinderen gebruiken wel strategieën en hulpmiddelen maar op een verkeerde manier. Een veelvoorkomend probleem is de moeizame automatisatie van de basisbewerkingen. Dit kan het

best ook worden getest omdat het tempo van veel kinderen tijdens de examens hierdoor enorm wordt vertraagd. Dit automatisatieprobleem is immers een typisch kenmerk van een leerstoornis. Ook kinderen met dyslexie (lees- en schrijfstoornis) hebben hier moeilijkheden mee.

Naast rekenen worden ook de andere schoolse vorderingen zoals lezen en schrijven geëvalueerd. Kinderen met ruimtelijke problemen kunnen hier ook problemen mee hebben. De typische spiegelingen die voorkomen bij rekenen zie je ook opduiken bij het lezen (bijvoorbeeld klok in plaats van kolk) of bij het schrijven (nues in plaats van neus).

4. Taaltest. Omdat er bij rekenen ook heel wat taal komt kijken, kan het soms nuttig zijn om ook de taalvaardigheden nader te bekijken. Wanneer men twijfelt aan de woordenschat van het kind, kan deze test meer duidelijkheid brengen. Dit is geen standaardtest in een rekenonderzoek, maar afhankelijk van de observaties en het verhaal van de ouders wordt de taal soms verder onderzocht.

5. Psychomotorisch onderzoek. Hetzelfde geldt voor psychomotorische tests: heel wat kinderen met rekenproblemen hebben ook grof- en/of fijnmotorische problemen. Wanneer in de observaties duidelijk wordt dat deze problemen het kind belemmeren om vlot te schrijven of te werken, kan het zinvol zijn om ook dit te onderzoeken.

6. Aandacht en concentratie. Ook dit onderdeel is niet standaard. Alleen als er aanwijzingen zijn voor een aandachtsstoornis, wordt dit verder onderzocht. Tijdens het testen van de andere onderdelen krijgt men ook al veel informatie in die richting. Kan het kind zijn taak afmaken of moet het voortdurend aangemoedigd worden, kan het gemakkelijk stilzitten of een tijdje werken zonder te praten, worden er veel letters of lettergrepen weggelaten bij het dictee en staan er veel doorhalingen op het blad? Allemaal dingen die erop kunnen wijzen dat geconcentreerd werken niet vanzelfsprekend is voor dit kind. Aandacht wordt vaak getest door een langdurige, saaie taak aan te bieden die het kind dan onder tijdsdruk moet afwerken.

7. Sociaal/emotioneel onderzoek. Bij sommige kinderen is het niet meer duidelijk of de leerproblemen primair zijn en er daardoor ook gedrags- of emotionele problemen ontstaan of dat de emotionele problemen zo sterk zijn dat er ook leerproblemen ontstaan. Sommige kinderen moeten op emotioneel vlak veel verwerken waardoor

hun aandacht en concentratie verzwakt en ze langzaamaan een leerachterstand krijgen. Meestal is het wel zo dat leerproblemen door een emotioneel probleem plotseling ontstaan en na het wegnemen van het emotionele probleem ook snel verdwijnen. Toch is het soms noodzakelijk om deze kinderen door te sturen naar een kinderpsychiater of psycholoog.

- Na een degelijk onderzoek volgt er een verslag. Het is belangrijk dat alle gegevens in een verslag worden opgenomen. Op deze manier kan de informatie doorgegeven worden aan de verschillende partijen en kunnen de ouders na het gesprek alles nog eens rustig bekijken. Dit is nodig omdat vaak blijkt dat ouders in korte tijd veel informatie krijgen om te verwerken.
  Vaak worden observatiegegevens weggelaten in een verslag. Toch zorgt juist dit voor herkenbaarheid thuis en in de klas.

  In het verslag staat: 'Tijdens het dictee is Julia voortdurend aan het rondkijken waardoor ze vergeet te denken aan haar spellingregels.'
  Vader reageert hierop dat ze deze opmerkingen ook voortdurend op school hoort.

Een verslag moet ook duidelijk zijn: niet alleen cijfers, maar ook een duidelijke uitleg en interpretatie van de gegevens. Dit laat vaak te wensen over!

> Een verslag moet duidelijk zijn: niet alleen cijfers maar ook uitleg en observatiegegevens.

Wat gaat dit kosten?
Het CLB in Vlaanderen voert de tests gratis uit. Een CLB is vaak verbonden aan een aantal scholen en kan het kind op verzoek testen. Door tijdsgebrek lukt het niet altijd om uitgebreide tests te doen. Dit varieert per CLB.
De OBD in Nederland is voor de ouders ook gratis. Helaas zijn de budgetten van onderwijsinstellingen vaak volkomen ontoereikend, waardoor jaarlijks slechts een beperkt aantal leerlingen door de OBD onderzocht en begeleid kan worden. Als kinderen door de OBD worden

doorverwezen naar een PDI, kost dit de ouders niets; zonder tussenkomst van de OBD worden de kosten echter niet vanuit de AWBZ vergoed.

Bij privé-therapeuten en centra die geen overeenkomst hebben met het RIZIV (Rijksinstituut voor Ziekte- en Invaliditeitsverzekering) in Vlaanderen of met verzekeraars in Nederland, betaalt men de volledige prijs, meestal zonder terugbetaling. Alleen een behandeling bij een zelfstandig gevestigde logopedist wordt onder strikte voorwaarden vergoed. Deze voorwaarden kan men bij de eigen ziektekostenverzekeraar opvragen.

Onderzoek bij centra die wel een overeenkomst hebben met het RIZIV (Vlaanderen) of met verzekeraars (Nederland), wordt voor het grootste gedeelte terugbetaald.

Adressen van therapeuten en centra kan men meestal aanvragen bij het CLB (Vlaanderen) of de OBD (Nederland). Zij hebben lijsten met namen van hulpverleners en kunnen vaak ook uitleg verschaffen over de specialisatie van therapeuten en centra.

Besluit

Voordat er met therapie wordt begonnen, moet er eerst een degelijk onderzoek plaatsvinden. Een uitgebreid onderzoek met een duidelijk verslag is immers noodzakelijk voor het opstellen van een goed therapieplan. Ook leerkrachten en ouders hebben hier een houvast aan.
Toch is het niet altijd zo eenvoudig om bij een geschikte therapeut terecht te komen. In dit hoofdstuk werd geprobeerd om ouders wegwijs te maken in het circuit van de hulpverlening. Zoals blijkt zijn er verschillende mogelijkheden om een kind met rekenproblemen te laten onderzoeken. Er zijn privé-therapeuten (pedagogen, psychologen, logopedisten, remedial teachers), centra gespecialiseerd in leerstoornissen en revalidatiecentra. Ook kunnen ouders terecht bij het CLB (Vlaanderen) of de OBD (Nederland).

DEEL 2

Aan de slag

Ouders vertellen vaak dat zij elke dag met hun kind extra rekenoefeningen doen, leerkrachten proberen ook nog hun steentje bij te dragen door extra aan rekenen te werken. En toch blijkt het vaak niet te helpen. Het gevolg is: gefrustreerde ouders, leerkrachten geven het op en het kind krijgt een laag zelfbeeld. En geregeld hoor je het kind dan ook zeggen: 'Ik ben dom, ik zal nooit kunnen rekenen, ik kan dat niet…'
Hoewel deze kinderen minder goed zijn in rekenen, kunnen ze wel de cijfers die ze krijgen in de klas met elkaar vergelijken en hierdoor beseffen ze al snel dat ze een probleem hebben.

Therapie geeft hun vaak weer moed, als er tenminste enkele basisregels in acht worden genomen:

- Allereerst moet therapie *steunen op een degelijke en uitgebreide diagnose*. Een rekentestje alleen is niet genoeg. Het is belangrijk dat zowel de zwakke als de sterke kanten van een kind in kaart worden gebracht. Men moet zich afvragen op welke manier het kind het best zijn informatie kan verwerken, wat zijn mogelijkheden zijn, hoe het zit met andere schoolse vaardigheden, of het alleen problemen heeft met automatisatie of eerder een gebrek aan rekeninzicht heeft…
- Daarnaast is het ook belangrijk dat de therapie *een goede opbouw* heeft: een gestructureerde en logische opbouw met voldoende oefeningen voor elk onderdeel! Wanneer er te weinig tussenstappen zijn en er te vlug wordt overgegaan naar een volgend onderdeel, zal het kind opnieuw mislukken. Met als gevolg dat zijn zelfbeeld weer een flinke deuk krijgt.
- Hiermee komen we bij een volgend belangrijk punt: *het kind moet slagen in zijn opdracht*. Elk kind maar ook elke volwassene vindt het fijn wanneer iets lukt of wanneer hij of zij een schouderklopje krijgt. Welnu, kinderen met een leerstoornis zijn hier nog gevoeliger voor vanwege al die vroegere mislukkingen. Zorg er dus als ouder, therapeut of leerkracht voor dat het kind slaagt in zijn opdracht. Alleen op deze manier win je het vertrouwen van het kind!
- Verder moet het ook 'klikken' tussen de therapeut en het kind. Wanneer dit niet het geval is, is het risico groot dat er geen enkele stap in de goede richting wordt gezet.
- Hoewel ouders en leerkrachten het vaak goed bedoelen, doen ze er verkeerd aan om het kind veel en langdurig te laten oefenen. De stelregel blijft nog steeds: *'Liever 3 keer per week 10 minuten dan 1 keer per*

week een half uur!' En liever de hulpmiddelen regelmatig verwoorden en geen oefeningen maken, dan oefeningen maken zonder de hulpmiddelen te verwoorden.

> Liever 3 keer per week 10 minuten oefenen dan 1 keer per week een half uur !

- Een therapie moet ook altijd *gericht zijn op het probleem*: voor leesproblemen is leestherapie noodzakelijk, voor spellingsproblemen moet er aan spelling gewerkt worden en voor een rekenprobleem zijn er rekenoefeningen nodig. Als ouder moet je het gevoel hebben dat er concreet rond het probleem wordt gewerkt. En om thuis op dezelfde manier verder te kunnen werken, is het ideaal om eens een sessie bij de therapeut mee te volgen.

Wanneer je als ouder het gevoel hebt dat aan deze voorwaarden voldaan is, is je kind in goede handen. Toch blijft het afwachten of de therapie succes heeft. Je moet er ook altijd rekening mee houden dat elke leerstoornis in lichtere of ernstigere mate kan voorkomen en dat het ene kind ook meer kan compenseren dan het andere. Bij sommige kinderen zien we bijkomende gedrags- of emotionele problemen optreden. Dit verzwaart natuurlijk de therapie. Maar rekening houdend met deze aandachtspunten zou het met de volgende hulpmiddelen voor alle kinderen met een rekenprobleem een stuk makkelijker moeten worden.

Ik reken fout

Eerste leerjaar / Groep 3

3. Splitsingen onder 10

In het eerste leerjaar/groep 3 worden eerst de getallen tot 10 aangeleerd. Kinderen moeten cijfers kunnen herkennen of lezen en moeten ze ook zelf kunnen schrijven. Bij sommigen komt dit laatste neer op het 'natekenen' van die figuur. Wanneer kinderen moeizaam tot automatisatie komen van hun getalbeelden, moet er een hulpmiddel gezocht worden. Soms helpt het om alleen de probleemgetallen te isoleren en apart te oefenen. Door veelvuldige herhaling slagen ze erin om het beeld te automatiseren. Toch werkt dit niet altijd. Meestal hebben ouders en leerkrachten dat al veelvuldig gedaan zonder resultaat. Vaak vertellen ouders dat ze het gevoel hebben dat het niet beklijft of dat het snel wordt vergeten wanneer het niet elke dag herhaald wordt.

Anderen hebben juist problemen met de schrijfrichting van de getallen. Vooral 6, 2, 3, 9 en 5 worden vaak gespiegeld. Soms helpt het om deze getallen op een kaartje te schrijven en de beginrichting aan te duiden met een pijltje. Een voorbeeld maakt dit duidelijk.

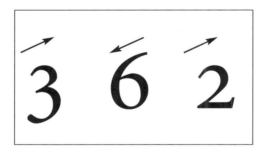

Wanneer een bepaald getal niet onthouden wordt, is het belangrijk dat er taal aan wordt gekoppeld, liefst met een duidelijk verband. Zo zal het kind beter onthouden dat een 2 meer op een 'eend' lijkt dan op een 'zwaan' omdat er klankovereenkomst is: 'twee' en 'eend' hebben allebei een -ee- in hun naam. Vaak leveren de getallen 11 en 12 ook problemen omdat deze in naamvorming niet verder bouwen op de 10 (zoals vijftien, zes-tien, zeven-tien…). Ook hier kan het nuttig zijn om een hulpmiddel te verzinnen wanneer het kind moeilijkheden blijft hebben met deze getallen. Hieronder volgt een voorbeeld voor de getallen 2 en 11.

Iets later komen de splitsingen tot 10 aan bod. Kinderen leren getallen opsplitsen in verschillende combinaties. Op deze manier leren ze optellen en aftrekken. De moeilijkste combinaties om te onthouden, zijn die van 8, 9 en 10. Het is belangrijk om eerst de probleemoefeningen te selecteren en alleen deze te oefenen. Meestal lukt het wel om te onthouden dat $8 + 1 = 9$. Moeilijker wordt het wanneer men $8 + 2$ vraagt. Voor het kind is het geruststellend om te zien dat niet alle oefeningen problemen geven. Daarom kan men bijvoorbeeld aan de hand van een ladder een voorstelling maken van de oefeningen die goed gaan én van de oefeningen die problemen opleveren. De oefeningen die vlot gaan, mag het kind inkleuren. Zo begint het kind met oefenen en het kan op deze manier de ladder verder inkleuren.

Ladder met oefeningen van 9

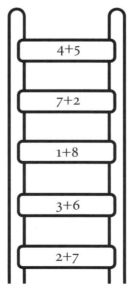

Ik reken fout

In de praktijk merken we vaak dat kinderen bij deze oefeningen soms hardnekkig blijven missen of blijven tellen. Het proces van automatisatie komt hierbij niet op gang. Voor dit soort oefeningen kan het ook een hulp zijn dat er taal wordt gekoppeld aan deze oefeningen. Meestal zijn deze kinderen talig immers sterker en op deze manier leren we hen compenseren.

We beginnen met de combinaties van 10. Hierbij hebben we ervoor gezorgd dat de combinaties telkens bestaan uit twee bij elkaar horende plaatjes. Belangrijk is dat niet alleen de tekeningen worden aangeboden, maar dat die ook verwoord worden. De cijfers zijn steeds terug te vinden in de tekeningen.

10 = 1 + 9 (deze kennen de kinderen meestal)
      2 + 8
      3 + 7
      4 + 6
      5 + 5 (deze kennen de kinderen meestal ook vanwege hun
                  2 handen met elk 5 vingers)

Wanneer we dit rijtje bekijken, zijn het uiteindelijk drie combinaties waarvoor er een hulpmiddel gezocht moet worden.

2+8   zwaantje + visje

3+7   mannetje met de borstel

4+6   bootje met het kaboutertje

Belangrijk is dat deze kaartjes apart worden geoefend. Dat wil zeggen dat deze drie kaartjes wel door elkaar mogen worden geoefend, maar dat ze niet gecombineerd mogen worden met andere splitsingen (van 9 of 8). Wanneer deze drie moeilijke splitsingen gekend zijn, mogen ze gemengd worden met de andere splitsingen van 10. Om te zien of ze geautomatiseerd zijn, kan er eens een 'recordoefening' gedaan worden. Hierbij is het de bedoeling dat er een bepaald aantal oefeningen gemaakt wordt in 1 minuut.

Ik reken fout

De volgende splitsingen die we aanleren zijn die van 8. Het is nu wel belangrijk dat er niet op dezelfde manier gewerkt wordt als bij de splitsingen van 10. Wanneer we hier opnieuw met tekeningetjes gaan werken, wordt er verwarring gecreëerd. Bij de splitsingen van 8 horen rijmpjes:

8 =   1+7 (is meestal gekend)
      2+6
      3+5
      4+4

En ook het laatste paar zorgt zelden voor problemen. De 'tweelingparen' zijn meestal beter gekend dan de andere.
Dit komt erop neer dat er alleen voor 2 + 6 en 3 + 5 een oplossing gezocht moet worden.

Acht   2 en 6 op wacht

Acht   3 en 5 lacht

Naast het geregeld verwoorden van deze hulpmiddelen kunnen de plaatjes ook worden opgehangen of op de bank worden gelegd. Met behulp van de stickertjes die bij dit boek zitten, wordt het eenvoudig.
Wanneer de trucjes apart gekend zijn en ook de oefeningen op dit niveau goed lukken, kan men gemengde oefeningen aanbieden. Als ook deze gemengde oefeningen vlot gaan, is er sprake van automatisatie.

De splitsing die overblijft is die van 9. Opnieuw moet er een ander soort hulpmiddel gezocht worden. Bovendien zijn hier weer drie combinaties die voor problemen kunnen zorgen.

9 =   1 + 8 (deze kennen de kinderen)
       2 + 7
       3 + 6
       4 + 5

Een mogelijk hulpmiddel is de overeenkomst in letters. Men kan het kind uitleggen dat bij deze splitsing steeds dezelfde letters voorkomen in de twee cijfers.
Bijvoorbeeld: 9= zeven en twee
                     9= vier en vijf
          Maar   9 = 3 + 6 lukt dan niet meer.

Ik reken fout

Omdat het voor de laatste combinatie niet meer mogelijk is, kan men eventueel naar de gelijkenis in vorm verwijzen. Van een 3 en een 6 kun je gemakkelijk een 9 maken.

Dit is dus geen sluitend hulpmiddel! Maar het kind moet het ook als een hulpmiddel blijven zien en niet als doel op zich. Misschien heeft het niet alle hulpmiddelen nodig waardoor er minder kans op verwarring ontstaat.

Ook bestaan er nog andere hulpmiddelen om de splitsingen van 8, 9 of 10 aan te leren. Denk maar aan de vaste getalbeelden van de dobbelsteen of de voorstelling van het rekenmannetje (Van Erp). Sommige kinderen blijven het meest vertrouwen op hun vingers of een soort telraam. Maar ook eierdozen (van 10 eitjes) kunnen al eens dienstdoen om het getalbegrip tot 10 aan te leren.

Besluit

In het eerste leerjaar/groep 3 wordt gestart met het aanleren van de cijfers. En voor heel wat kinderen gaat het hier al mis. Het kunnen herkennen van de cijfers en ze later benoemen is voor sommigen een probleem. In een latere fase moet er worden geteld en eerst worden de splitsingen tot 10 aangeleerd. Oefeningen als 2 + 2 en 4 + 1 verlopen nog vlot, maar de splitsingen van 8, 9 en 10 zorgen voor meer moeilijkheden. Met eenvoudige hulpmiddelen wordt het mogelijk om ook deze splitsingen uit te voeren.

En nu maar oefenen...

Kleur een trede wanneer je weer een oefening kunt.

splitsingen van 8   *splitsingen van 10*

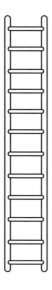
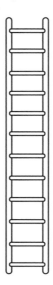

splitsingen van 9   *splitsingen van 8,9 en 10*

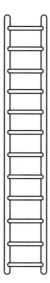
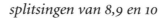

Vul het ontbrekende getal in. Denk aan je trucjes !

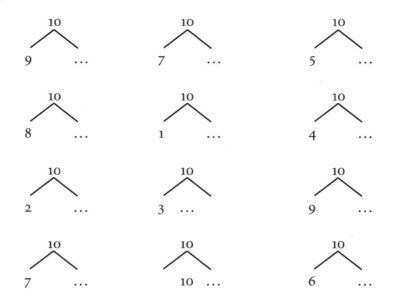

Vul verder aan. Wanneer je het juist hebt, mag je het lachende
gezichtje kleuren.

$$10 = 5 + \ldots\ldots$$ 😊

$$10 = 4 + \ldots\ldots$$ 😊

$$10 = 3 + \ldots\ldots$$ 😊

$$10 = 6 + \ldots\ldots$$ 😊

$$10 = 1 + \ldots\ldots$$ 😊

$$10 = 9 + \ldots\ldots$$ 😊

$$10 = 8 + \ldots\ldots$$ 😊

$$10 = 2 + \ldots\ldots$$ 😊

Ik reken fout

Voer uit! Wanneer je de oefening juist maakt, mag je een kruisje zetten bij het lachende mannetje, anders bij het droevige.

	😊	😞
$8 = 3 + \ldots$		
$8 = 4 + \ldots$		
$8 = 8 + \ldots$		
$8 = 2 + \ldots$		
$8 = 5 + \ldots$		
$8 = 1 + \ldots$		
$8 = 0 + \ldots$		
$8 = 7 + \ldots$		
$8 = 4 + \ldots$		
$8 = 6 + \ldots$		
$8 = 3 + \ldots$		
$8 = 2 + \ldots$		
$8 = 1 + \ldots$		
$8 = 5 + \ldots$		
$8 = 2 + \ldots$		

Je krijgt 1 minuut de tijd om deze oefeningen op te lossen. Duid in de grijze vakjes aan tot waar je bent geraakt.

$9 = 4 +$ ....
$9 = 5 +$ ....
$9 = 8 +$ ....
$9 = 7 +$ ....
$9 = 1 +$ ....
$9 = 6 +$ ....
$9 = 2 +$ ....
$9 = 0 +$ ....
$9 = 9 +$ ....
$9 = 3 +$ ....
$9 = 4 +$ ....
$9 = 2 +$ ....
$9 = 5 +$ ....

Ik reken fout

Je krijgt 1 minuut de tijd om deze oefeningen op te lossen. Duid in de grijze vakjes aan tot waar je bent geraakt.

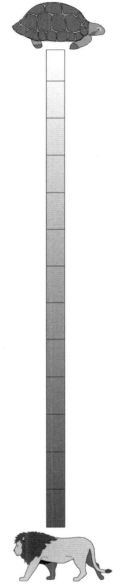

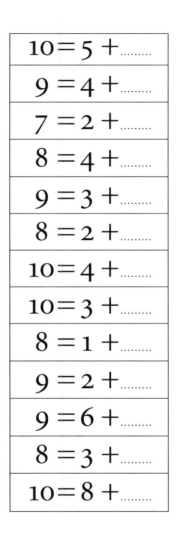

$10 = 5 + \text{........}$
$9 = 4 + \text{........}$
$7 = 2 + \text{........}$
$8 = 4 + \text{........}$
$9 = 3 + \text{........}$
$8 = 2 + \text{........}$
$10 = 4 + \text{........}$
$10 = 3 + \text{........}$
$8 = 1 + \text{........}$
$9 = 2 + \text{........}$
$9 = 6 + \text{........}$
$8 = 3 + \text{........}$
$10 = 8 + \text{........}$

Je krijgt 1 minuut de tijd om deze oefeningen op te lossen. Duid in de grijze vakjes aan tot waar je bent geraakt.

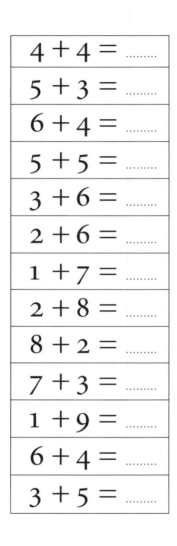

4 + 4 = ………

5 + 3 = ………

6 + 4 = ………

5 + 5 = ………

3 + 6 = ………

2 + 6 = ………

1 + 7 = ………

2 + 8 = ………

8 + 2 = ………

7 + 3 = ………

1 + 9 = ………

6 + 4 = ………

3 + 5 = ………

Ik reken fout

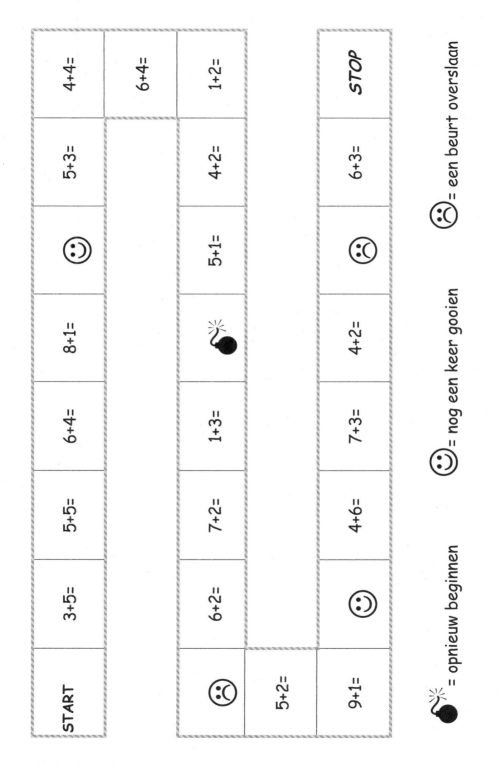

STOP

☹ = een beurt overslaan

☺ = nog een keer gooien

💣 = opnieuw beginnen

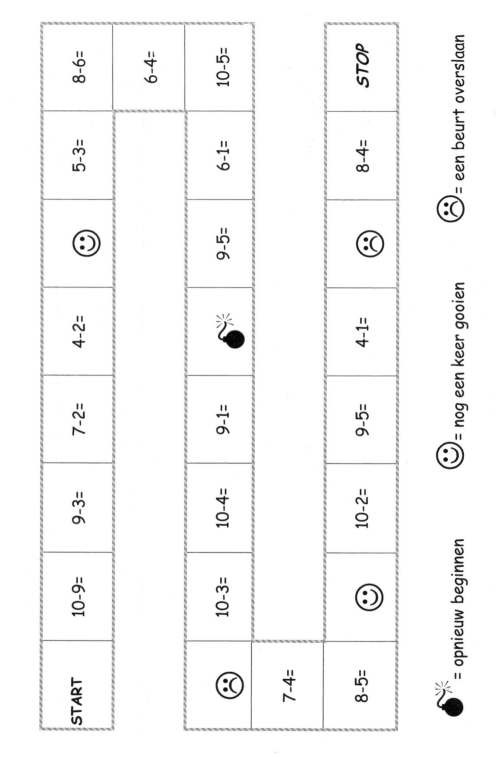

Ik reken fout

4. Tussen 10 en 20

Tellen tot 10 is achter de rug. Nu begint het tellen tot 20 en de oefeningen die hiermee gepaard gaan. Halverwege het eerste leerjaar/groep 3 beginnen kinderen optellingen en aftrekkingen te maken met getallen die groter zijn dan 10. Na een tijdje komen ook de brugoefeningen eraan. En dan gaat het geregeld mis. Oefeningen zoals 8 + 8 of 6 + 7 lukken wel, maar vragen veel tijd. Bij kinderen met een rekenprobleem duurt het lang voordat deze materie geautomatiseerd is. De kinderen blijven lange tijd een beroep doen op hun vingers, een liniaal, hun kleurpotloodjes… als ze maar kunnen tellen.

Stephen maakt een rekenoefening. Hij probeert te verdoezelen dat hij op zijn vingers moet tellen. Hij legt zijn handen zo onopvallend mogelijk voor hem en hij 'kijkt' alleen naar zijn handen. Je ziet dat zijn ogen vinger per vinger bekijken.

Er zijn verschillende manieren om kinderen bij deze problematiek te ondersteunen. Eerst moet men zeker weten dat de vorige fasen gekend en beheerst zijn. Hiermee wordt bedoeld dat ze vlot de splitsingen tot 10 moeten kennen en dat ze ook boven 10 kunnen rekenen zonder brugovergang (bijvoorbeeld 14 + 4, 15 − 3). Als dit in orde is, kan men starten met brugoefeningen.

Een mogelijke manier om deze oefeningen op te lossen is de methode met het 'brugje'. Leerkrachten leggen aan de kinderen uit dat ze ter hoogte van de 10 een sprongetje moeten maken. 10 vormt het scharnierpunt bij deze oefeningen. Concreet betekent dit dat men eerst een sprong maakt naar 10 en daarna het overschot erbij telt of eraf trekt. Bijvoorbeeld:

$$8 + 7 = (8 + 2) + 5$$
$$10 + 5 = 15$$

$$14 - 7 = (14 - 4) - 3$$
$$10 - 3 = 7$$

Uit ervaring blijkt dat heel wat kinderen het moeilijk hebben met het begrip 'brugje'. Ze kunnen zich er weinig bij voorstellen, waardoor het dan ook geen echt hulpmiddel is. Daarom ontstonden er kleine variaties in de therapie, die het basisprincipe wel gebruiken maar het ook visueel voorstellen.

1. Het gebruik van een liniaal (van 20 cm)
Een korte liniaal (20 cm) op de tafel maakt het eenvoudiger om te begrijpen wat er met 'brugje' bedoeld wordt. Je kunt als leerkracht, ouder of therapeut ook een brugje tekenen of plakken ter hoogte van de 10. Op deze manier weten de kinderen dat ze steeds naar die 10 toe moeten werken. Visueel ziet er dit als volgt uit:

Wanneer we oefeningen maken, kunnen we ook zo'n rijtje in het schrift tekenen. Bij elke oefening moet het kind de sprong naar 10 tekenen. In de beginfase kun je ook best alles laten verwoorden. We gaan ervan uit dat kinderen de splitsing onder 10 kennen en dus ook weinig problemen hebben om het tweede getal te splitsen.

De oefeningen zien er als volgt uit:

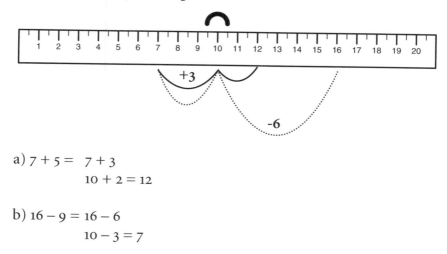

a) $7 + 5 =\ 7 + 3$
   $\qquad 10 + 2 = 12$

b) $16 - 9 = 16 - 6$
   $\qquad 10 - 3 = 7$

Ik reken fout

c) $8 + 3 =$ zonder de lijnen te trekken kan het kind nu met de vinger de sprong tot 10 aanduiden

$8 + 2 = 10$

$10 + 1 = 11$

d) $12 - 8=$ nog een stap verder in de verkorting van de strategie, is alleen naar de liniaal kijken zonder nog aan te duiden

$12 - 2 = 10$

$10 - 6= 4$

e) $4 + 7=$ in de laatste fase doet men de liniaal weg en probeert het kind zich de oefening mentaal voor te stellen

$4 + 6 = 10$

$10 + 1 = 11$

Het lijkt nu alsof de verkorting in 4 of 5 stappen geklaard is. Dit is zeker niet het geval! Hier werden alleen maar de mogelijke tussenstappen weergegeven die zorgen voor de verkorting van deze methode. Voor elke tussenstap dienen veel oefeningen gemaakt te worden.

Aan het einde van dit hoofdstuk staan een paar oefeningen rond deze problematiek.

2. Getallenkaart

Niet in de vorm van een liniaal maar eerder in de vorm van een getallenkaart. Op een kartonnetje schrijven de kinderen hun getallenrij op en bij elke oefening kunnen ze visueel sprongen maken. Dit hulpmiddel is soortgelijk als het vorige. Dezelfde principes en deelstappen kunnen worden toegepast. Naast een liniaal of getallenkaart kan men ook een rij van 20 kralen gebruiken. Belangrijk is de visualisatie van de getallen tot 20. Heel vaak hebben kinderen immers geen voorstelling van de getallen in hun hoofd , waardoor het ook moeilijk wordt om tot het 'brugje' te tellen.

3. Andere hulpmiddelen

Voor sommige kinderen met een ruimtelijk-visueel probleem blijven deze tussenstappen of het 'uitvoeren in het lang' een ware kwelling. Wanneer ze een goed geheugen hebben, is het voor hen soms gemakkelijker om de oefeningen tot 20 gewoon te automatiseren.

Anderen leren deze oefeningen aan door te vertrekken van de 'tweelingen'. Meestal lukken de oefeningen 7+7, 6+6... beter dan de rest. 'Buuroefeningen' kunnen dan aan de hand van de 'tweelingen' opgelost worden. 8+7 is dus 1 meer dan 7+7.

Welk hulpmiddel je nu het best gebruikt, hangt af van kind tot kind maar het is vooral belangrijk dat het kind een hulpmiddel heeft. Maak dan ook niet de fout om dat hulpmiddel weg te nemen wanneer er toetsen moeten gemaakt worden. Wanneer de leerstof geautomatiseerd is, zal het kind het hulpmiddel vanzelf achterwege laten.

Getallenas

Een getallenas of getallenlijn blijft voor sommige kinderen gedurende de hele lagere school voor problemen zorgen. Kinderen voelen niet aan hoe ze het getal moeten berekenen dat precies in het midden ligt. Vaak gokken ze of gaan ze systematisch aan één kant iets toevoegen en aan de andere kant iets weglaten. Het enige probleem is dat dit zeer tijdrovend kan zijn.
Gelukkig zijn ook hier eenvoudige hulpmiddeltjes voor te bedenken. Laten we uitgaan van een concreet voorbeeld:

Er zijn een paar 'regels' die men in het achterhoofd moet houden om deze oefeningen op te lossen; dit geldt ook voor kinderen die met grote getallen aan het werken zijn:
• Men kijkt of er toevallig geen twee opeenvolgende cijfers zijn ingevuld. Wanneer dit het geval is, kan men deze twee cijfers van elkaar aftrekken en heeft men meteen de grootte van de sprong tussen de verschillende getallen. In ons voorbeeld betekent dit: 18 – 15 = 3, alle streepjes liggen 3 sprongen van elkaar af.
• Wanneer er geen twee opeenvolgende getallen zijn, dan neemt men de getallen die naast elkaar staan en waar één getal ontbreekt. In ons

voorbeeld: 3 en 9. We tellen de twee getallen op en nemen daar later de helft van. Op deze manier krijgt men het ontbrekende getal tussen de 2 cijfers. 3 + 9= 12, de helft van 12 is 6, dus op de getallenas zal het cijfer 6 tussen 3 en 9 moeten staan.

- Maar als de getallen groter worden, is het niet altijd zo handig om snel de twee getallen op te tellen en de helft ervan te nemen. Gelukkig kan het ook eenvoudiger met een klein trucje. In plaats van het hele getal te nemen, neemt men het laatste cijfer of de laatste twee cijfers. Neem onderstaande oefening. In plaats van 233 en 239 op te tellen en er de helft van te nemen, laat je de cijfers vallen die hetzelfde zijn. In ons voorbeeld zijn dat 2 en 3. Alleen het laatste cijfer van de getallen verschilt. Dus men telt 3 en 9 op en neemt er de helft van. Dit is 6. Men voegt de weggelaten cijfers toe en krijgt het getal 236.

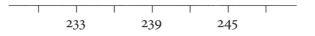

233   239   245

Soms lukt het niet om twee getallen op de as te vinden die maar één cijfer van elkaar verschillen. Dan ben je verplicht om toch twee cijfers van het getal op te tellen en te delen door 2.

Bijvoorbeeld: de getallen 689 en 699 staan naast elkaar met 1 ontbrekend streepje ertussen. Dan kun je met gokken en missen proberen te vinden wat er precies in het midden ligt, of je kunt optellen en delen door 2. In dit geval zou je 89 en 99 moeten optellen. Dit is 188, gedeeld door 2 geeft 94. Het getal dat ertussen ligt is dus 694.

Nog één voorbeeld om duidelijk te maken dat je deze drie regels bij alle getallen kunt toepassen.

10 580   10 588   10 596

1. er staan geen twee opeenvolgende getallen naast elkaar;
2. we gaan dus twee getallen optellen en delen. We kiezen voor de twee eerste getallen omdat die de meeste cijfers gemeenschappelijk hebben. En nu passen we onze regel toe: 0 + 8 = 8, 8: 2 = 4. Het ontbrekende cijfer is dus 10 584

Met drie eenvoudige regeltjes is het een stuk gemakkelijker om het ontbrekende getal te vinden op de getallenas. Dit hulpmiddel kan ook gebruikt worden bij oefeningen waar geen getallenas gegeven wordt, maar waar alleen de vraag gesteld wordt: 'Welk getal ligt precies tussen...'

Het voordeel van dit hulpmiddel is dat je het ook kunt uitbreiden naar grote getallen, waardoor het trucje in het eerste leerjaar/groep 3 kan worden aangeleerd en in het zesde leerjaar/groep 8 nog steeds geldig is.

Samenvattend zetten we de drie regeltjes nog eens op een rijtje:

1. Zoek 2 getallen die naast elkaar staan en bereken het verschil tussen beide.
2. Wanneer er geen 2 opeenvolgende getallen zijn, bereken dan het verschil tussen de 2 getallen waar 1 vrije plaats tussen ligt en deel het verschil door 2.
3. Als de getallen groot zijn, neem dan alleen de cijfers van de getallen die niet gemeenschappelijk zijn en doe dan hetzelfde als in stap 2.

5. Rekentaal: minder, meer, splitsen...

Rekenen is iets anders dan taal. Voor rekenen heb je andere denkstrategieën nodig dan voor een talig probleem. De een is goed in wiskunde, de ander is beter in taal. Wanneer taal gekoppeld wordt aan rekenen, zijn er meer kinderen die door de mand vallen.

Wat wordt bedoeld met 'drievoud' of met 'vermeerderen'? Moet je in beide gevallen optellen of moet je juist vermenigvuldigen?

Vanaf het eerste leerjaar/groep 3 komt rekentaal aan bod, maar ook in het zesde leerjaar/groep 8 komt het nog voor. Soms zit het verweven in een vraagstuk.

Het is de bedoeling dat kinderen na een tijdje doorhebben dat je een bepaalde bewerking op verschillende manieren kunt omschrijven. Vermeerderen betekent hetzelfde als optellen en verminderen kun je vervangen door aftrekken. Dit is vaak niet duidelijk voor hen!

In dit hoofdstuk worden de vier basisbewerkingen opgesplitst, samen met hun termen die leiden tot deze bewerking. Daarna komt een soort bingospel aan bod waarbij de termen geoefend kunnen worden. Het is belangrijk dat eerst de woorden worden uitgelegd voordat men met het spel start. De bedoeling is dat de kaartjes met de termen worden uitgeknipt, in een doosje worden gelegd en er daarna een voor een uit gehaald worden. Elk kind krijgt één of meerdere kaarten (met een bewerkingsteken erop) en moet de bijbehorende kleine kaartjes op zijn grote kaart leggen. Degene die het eerst zijn kaart vol heeft, heeft gewonnen.

Aan het einde van dit boek vind je bovendien ook overzichtskaarten in klein formaat die de kinderen kunnen gebruiken in de klas. Er is ook steeds ruimte om termen aan te vullen.

Later kan de link worden gelegd met het schoolmateriaal. Als leerkracht of therapeut kun je vraagstukken of andere oefeningen maken waarbij er rechts van het blad plaats is om het bewerkingsteken in te vullen. In eerste instantie laat je de kinderen de term die naar deze bewerking verwijst, onderstrepen.

Op deze manier bouw je een tussenstap in waardoor de link naar het schoolmateriaal voor de kinderen duidelijk wordt en je door de vele tus-

senstappen ook meer kans op succes hebt.
Een voorbeeld om dit te illustreren:

Wim en Leen spelen in de tuin met knikkers. Wim heeft 15 knikkers en Leen heeft er 4 <u>meer</u>. Hoeveel knikkers heeft Leen?

Bewerking: ....

Antwoordzin: ....

+

Naast het uitvoeren van de oefening moet het kind eerst nadenken over de bewerking. Door het onderstrepen van de term en het invullen van het bewerkingsteken wordt er beter in stappen gewerkt en worden impulsieve kinderen bovendien afgeremd.

Een voorbeeld waarin duidelijk wordt dat rekenbegrippen tot verwarring kunnen leiden, is dit van Giel. In plaats van het viervoud te nemen, deelt hij door 4 en in oefening 7 merk je dat hij de puntoefening niet doorheeft.

De vier basisbewerkingen

De vier basisbewerkingen worden hier voorgesteld samen met hun termen. De bedoeling is dus dat kinderen de verscheidene termen koppelen aan één bepaalde bewerking. Aan de hand van kaarten en spelletjes moet dit ingeprent worden.

Deze speelkaarten kunnen in de klas vergroot worden opgehangen of geplastificeerd worden zodat ze verschillende schooljaren mee kunnen. Elk kind heeft dan zijn eigen kaarten die het zowel in de klas als thuis kan gebruiken. Het blijft wel belangrijk dat er ook apart met deze begrippen wordt geoefend. Daarom volgt er nu een soort 'bingospel'.

Kaarten met bewerkingsteken.

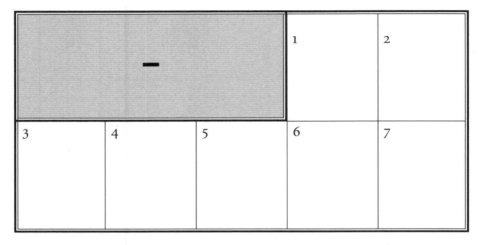

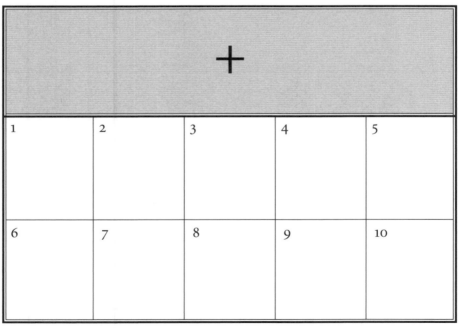

Ik reken fout

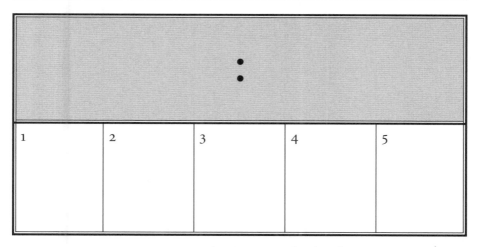

				6
X				
1	2	3	4	5

:				
1	2	3	4	5

Kaartjes met bewerkingen

Men kan ze losknippen, in een doosje doen en dan als in een loterij eruit vissen. Het kaartje dat getrokken wordt, hoort thuis bij een van de vier bewerkingskaarten. Wanneer een kaart vol is, heb je gewonnen.

som van	plus	vermeerde-ren	optellen	samen met
meer dan	en	erbij	bijtellen	toevoegen
verminderen	min	aftrekken	minder dan	wegnemen
verschil	verwijderen	maal	dubbel	drievoud viervoud
keer (zo veel)	vermenig-vuldigen	product	verdeel	splits in 3 of 4... groepjes
hoeveel groepjes van...?	delen door	het derde/ vierde... deel van		

Ik reken fout

Puntoefeningen: om punten te verliezen…

Wanneer kinderen eindelijk de vorige begrippen onder de knie hebben, worden ze ineens geconfronteerd met oefeningen waarbij juist het tegenovergestelde wordt bedoeld. Dit zijn de beruchte puntoefeningen. Kinderen krijgen er al mee te maken in het eerste leerjaar/groep 3 en in de jaren daarna wordt het steeds meer uitgebreid. Je kunt puntoefeningen tegenkomen bij hoofdrekenen, bijvoorbeeld 5 +… = 14, maar ook in vraagstukken zoals '10 is het dubbele van…'. Wanneer je rekeninzicht hebt, is dit geen probleem, maar wanneer je een ruimtelijk probleem hebt en moeite hebt met de juiste richting van getallen en de bewerking, dan heb je veel kans om hier vast te lopen.

---

9.   Hoeveel is 490 minder dan 7 honderdtallen ? 310 *(handgeschreven: 210)*

X 10.   Vermeerder 684 met 53, dat is 631 *(handgeschreven: 737)*

11.   Welk getal is 4 meer dan het dubbel van 400 ? 466 *(handgeschreven: 804)*

X 12.   280 is de helft van 140 *(handgeschreven: 560)*

13.   Het viervoud van 200 is 800

X 14.   30 is het derde deel van 1090 *(handgeschreven: 40)*

15.   Hoeveel keer gaat 3 in 120 ? 120 keer

16.   702 - 360 *(handgeschreven: 695)* = 660 + 35

Om kinderen te helpen bij deze puntoefeningen is het goed om een onderscheid te maken tussen de zuivere puntoefeningen en de oefeningen die verweven zitten in een verhaaltje.

Zuivere puntoefeningen
De verschillende mogelijkheden die kinderen kunnen tegenkomen zijn:
   a) … + 6 = 13
   b) 6 +… = 13
   c) 13 = 6 +…

d) $13 = \ldots + 6$
e) $\ldots - 6 = 13$
f) $6 - \ldots = 4$
g) $13 = \ldots - 6$
h) $4 = 6 - \ldots$

Om de uitkomst te vinden moet je soms de omgekeerde bewerking doen (zoals bij de oefeningen b en c), maar soms ook niet (zoals bij oefening f). Dit maakt het verwarrend voor de kinderen. Wanneer het inzicht ontbreekt, moet er een hulpmiddel gezocht worden.

Bij een hulpmiddel komt het er meestal op aan om met zo weinig mogelijk geheugenwerk en een eenvoudige strategie toch zo veel mogelijk oefeningen te kunnen maken. Daarom:

GROOTSTE getal   *MIN*   het KLEINSTE getal

behalve wanneer de puntjes vlak voor het min-teken komen

en met een rijmpje klinkt het zo…
'eerst de puntjes en dan de min, ik doe + en trap er niet in'

Wanneer je dit hulpmiddel aanbrengt, concentreer je je in de eerste fase best op de regel 'grootste getal min kleinste getal'. Je brengt nog geen uitzonderingen aan. In een latere fase leg je de uitzonderingen uit en bied je deze oefeningen eerst geïsoleerd aan en daarna combineer je beide oefeningen. In de klas kun je ook een blad met oefeningen geven waarbij de kinderen eerst de 'speciale' oefeningen markeren. Dus vooraleer de oefeningen gemaakt worden, laat je hen eerst verkennen. Op deze manier leren ze gericht kijken naar uitzonderingen.

Puntoefeningen in een verhaal
Wanneer het kind de zuivere puntoefeningen beheerst, kan men de stap naar de puntoefeningen in een verhaal zetten. Wat wordt hiermee bedoeld? Enkele voorbeelden maken dit duidelijk:
•   25 is de helft van…

- het product van 2 dezelfde getallen is 25, zoek de getallen
- 9 is 4 meer dan…
- 20 is 5 minder dan…
- het dubbele van 24 is de helft van…
- 1/2 van 4 is gelijk aan 1/8 van…
- 50 is 20% van…

En zo kunnen er nog talloze voorbeelden worden verzonnen.

Deze oefeningen zijn moeilijker dan de zuivere puntoefeningen, omdat je hier minder structuur in kunt brengen. De regel van daarnet valt niet meer toe te passen.

Deze oefeningen kunnen op een eenvoudigere manier worden opgelost door het principe van de 'weegschaal'. De weegschaal stelt steeds het gelijkheidsteken voor. In bovenstaande oefeningen betekent dit dat de kinderen eerst het woordje 'is' of 'is gelijk aan' moeten zoeken. Wanneer ze dit hebben aangeduid in de zin, kan het vervangen worden door een weegschaal. In de beginfase wordt ook echt met een weegschaal gewerkt. Dan kun je ook het best oefeningen met kleine getallen doen, zodat ze gemakkelijk kunnen worden uitgevoerd. Daarna kan het kind schriftelijke oefeningen doen waarbij de weegschaal al staat voorgetekend maar waarbij het kind de twee delen van de oefeningen moet noteren. Steeds moet elke arm van de weegschaal evenveel bevatten. Wanneer ook dit zonder problemen wordt uitgevoerd, kan er overgestapt worden naar oefeningen zonder visualisatie van de weegschaal.

Concreet betekent dit dat de volgende stappen worden toegepast:

1. Uitleggen van het principe van de weegschaal

Elke kant moet steeds evenveel bevatten, anders zal de weegschaal doorslaan naar één kant. Bovendien moet elk kind weten dat het gelijkheidsteken in het midden van de weegschaal staat.

Rekentaal: minder, meer, splitsen

2. Er wordt concreet met een weegschaal en blokjes gewerkt

Elke eenheid stelt een blokje voor en we doen eenvoudige oefeningen. We beginnen met oefeningen waarbij het 'is-teken' helemaal op het einde staat. Deze zijn eenvoudiger dan de oefeningen waarbij het ergens tussenin staat (zie 2de voorbeeld).

bijvoorbeeld:
'7 meer dan 5 is…' Eerst duiden we het gelijkheidsteken aan in de oefening.

Daarna schrijven we hetgeen vóór het =teken staat op de eerste arm van de weegschaal en zoeken we wat de andere arm moet zijn om de weegschaal weer in evenwicht te brengen. In deze fase werkt men concreet met blokjes.

7 meer dan 5 kan gemakkelijk uitgerekend worden en zo ziet het kind dat er aan de andere kant ook 12 blokjes moeten komen. Laat het kind ook 12 blokjes op de andere arm van de weegschaal leggen zodat het ziet dat zijn uitkomst klopt. Het kan ook helpen om eerst de rechterkant van de weegschaal nog te bedekken zodat ze enkel de oefening links zien en deze kunnen uitvoeren. De uitkomst leggen ze dan in de rechterarm van de weegschaal.

Ik reken fout

Een ander voorbeeld:

'8 is het dubbele van…'

eerst het 'gelijkheidsteken' aanduiden

'8 is het dubbele van…'

wat vóór het =-teken staat moet op de linkerarm gezet worden, hetgeen erachter komt op de rechterarm. Ook wordt het uitgevoerd met blokjes.

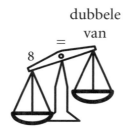

Door blokjes rechts toe te voegen moet de weegschaal weer in evenwicht komen. Het kind weet dat er rechts ook acht in totaal moeten komen, dus moet het een getal vinden waarvan het het dubbele kan nemen en waar toch niet meer dan 8 uit mag komen. Wanneer het kind in eerste instantie een foutief antwoord geeft, laat je hem toch doorgaan. Hij zal ondervinden dat de weegschaal niet in evenwicht komt en zelf moeten bijsturen. Door zelf de oplossing te vinden, zal het kind de volgende keer sneller tot een juiste strategie komen. Bij al deze oefeningen is het belangrijk dat men op het einde het vraagstuk met de uitkomst nog eens naleest. Vaak ontdekken kinderen dan zelf dat er iets niet klopt!

3. Er worden oefeningen op papier gegeven maar de weegschaal staat nog centraal
Doordat de oefeningen op papier staan, wordt de koppeling met het schoolwerk gemaakt. Dit wordt herkenbaar. Toch is het belangrijk dat de weegschaal ook hier terugkomt. Dit kan bijvoorbeeld gebeuren door ruimte te laten voor de oplossingsstrategie en al van tevoren een weegschaal te tekenen. Eventueel kunnen er stippellijntjes gezet worden op

plaatsen waar iets geschreven moet worden. Op deze manier wordt er nog een extra tussenstap gecreëerd.

4. Er worden oefeningen gemaakt zonder hulpmiddelen
In een laatste fase komen de oefeningen aan bod zoals ze ook op school worden aangeboden. Belangrijk blijft om eerst te verwoorden op welke manier de oefening het best kan worden opgelost. Het kind moet zelf tot een oplossingsstrategie komen.
Daarna kan men variëren in de moeilijkheidsgraad of in de hoeveelheid, om na te gaan of de stof wordt beheerst.

En nu maar oefenen…

1. schrijf eerst het gelijkheidsteken op de juiste plaats
2. voer de oefening met blokjes uit
3. schrijf de uitkomst in het vakje

2 meer dan 5 is….

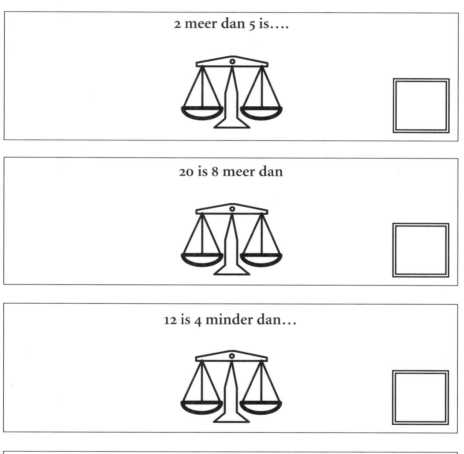

20 is 8 meer dan

12 is 4 minder dan…

14 is het dubbel van

1. schrijf eerst het gelijkheidsteken op de juiste plaats
2. schrijf boven elke arm van de weegschaal hoeveel erin moet liggen
3. schrijf de uitkomst in het vakje

80 is het viervoud van....

56 is 32 meer dan...

één vierde deel van 360 is...

150 is 25 meer dan...

Ik reken fout

Tweede leerjaar / Groep 4

6. Getalstructuur tot 100

In het tweede leerjaar/groep 4 komen de getallen tot 100 aan bod. Eerst worden de tientallen geleerd, daarna de tussenliggende getallen. En daarna komt het telwerk erbij. Oefeningen zonder en met brug (bijvoorbeeld 25 + 67) vormen een groot deel van de rekenlessen in het tweede leerjaar/groep 4.

Moet ik nu 49 of 94 schrijven?
Kinderen met een ruimtelijk probleem verwisselen vaak de volgorde van de getallen. In plaats van 94 schrijven ze 49. Of ze zeggen het goed maar schrijven het toch verkeerd op. In onderstaand voorbeeld zien we dat Amber het technische rekenproces wel beheerst, maar dat ze gewoon de cijfers omdraait.

62 + 25 = 87		36 + 14 = 05/50
33 + 66 = 99		71 + 18 = 88
28 + 41 = 9669		45 + 21 = 66
55 + 14 = 96		52 + 42 = 49
36 + 21 = 75		33 + 66 = 99

In bijna alle rekenmethodes worden de cijfers tot 100 aangeleerd in een rooster, het 100-veld. Voor kinderen met een ruimtelijk probleem is dit een marteling. Voor hen betekent dit een last in plaats van een hulpmiddel. Want in een rooster is het nog moeilijker uit te maken welk getal vóór en na een ander getal komt.

1. De eerste stap in de aanpak is nagaan of kinderen de tientallen goed kennen; ze moeten vlot de tientallen kunnen opnoemen en de getalstructuur doorhebben. Bij de tientallen komt er steeds -tig achter aan het woord (behalve bij de getallen tussen 10 en 20): twintig, dertig, veertig…
In de oefeningen achter aan dit hoofdstuk wordt er alleen gewerkt met de tientallen die eindigen op -tig. Dit is een aanvullend hulpmiddel. Op deze manier wordt er weer beroep gedaan op hun sterkere verbale capaciteiten.

   De getallen tussen 10 en 20 kunnen het best apart worden geleerd. Dit is stof voor het eerste leerjaar/groep 3.

2. In de tweede fase is het belangrijk dat het kind het gedeelte met -tig herkent als het tiental. Bijvoorbeeld 'achtenveertig': veertig is het tiental en acht komt erbij. Het komt er dus op neer dat het kind de getallen leert opsplitsen in tientallen en eenheden.

3. Om de volgordefouten aan te pakken, laat je het kind eerst het -tig-getal volledig opschrijven en daarna de eenheid toevoegen ín de nul. Bijvoorbeeld vierenzeventig:
   Th.: *Welk -tig-getal hoor je?*
   Kd.: **Zeventig.**
   Th.: *Schrijf het maar op.*

   Kd.: **70**

   Th.: En *schrijf nu de 4 in de nul.*

   Kd.:

   Th.: *En nu mag je de nul weglaten.*
   Kd.: 74

Het is belangrijk dat in een eerste fase de hele weg wordt afgelegd. Daarna kun je het gemakkelijk inkorten. Ook kun je in de klas al voorgedrukte papieren maken en een soort getallendictee doen. De kinderen

Ik reken fout

moeten dan alleen de eenheid invullen (zie ook oefeningen aan het eind van dit hoofdstuk). Ook kan er voor thuis en in de klas een kaartje gemaakt worden waarop de nul steeds wordt uitvergroot, zodat duidelijk is dat hier de eenheid moet worden ingevuld. Op deze manier voorkomt men ook dat het kind de eenheden en tientallen van plaats gaat verwisselen.

Na een tijdje kan dit kaartje als geheugensteun worden weggelaten. Het is op dat moment belangrijk dat ouders, leerkracht en therapeut het kind geregeld aan het hulpmiddel herinneren of het laten verwoorden voordat er aan een oefening begonnen wordt.

Een ander hulpmiddel om het onderscheid te maken tussen tientallen en eenheden is het volgende:

B	art
3	4

1. je laat het kind zijn naam schrijven (met hoofdletter natuurlijk)
2. op de plaats van de grootste letter moet ook het cijfer met de grootste waarde komen. (je leert eerst het getal auditief analyseren, zie stap 1 en 2)

Optellen en aftrekken tot 100
Voor veel kinderen was het al niet makkelijk om vlot te leren optellen en aftrekken tot 20. Vooral die brugoefeningen (bijvoorbeeld 7 + 8) vormden een probleem. Het is dan ook niet verwonderlijk dat de problemen hier opnieuw opduiken. En dit gecombineerd met het feit dat je de

getallen ook nog makkelijk kunt omdraaien, maakt het helemaal moeilijk.

Het tweede leerjaar/groep 4 vormt dan ook vaak een struikelblok voor kinderen met een rekenprobleem. Want naast de getallen tot 100 en hun bewerkingen, komen ook nog de tafels en deelsommen aan bod.

Om de optellingen en aftrekkingen tot 100 te leren aan kinderen met een rekenprobleem, is het belangrijk dat alles in kleine stapjes wordt opgedeeld. De kunst bestaat erin om elk mogelijk probleem op te vangen door een tussenstap te creëren. Deze tussenstappen worden even op een rijtje gezet. Na dit hoofdstuk worden oefeningen voor deze problematiek voorgesteld.

1. **TE +/- E**
   Optellen of aftrekken van een eenheid bij een getal, bijvoorbeeld 35 + 3

   In een eerste fase wordt er alleen een eenheid opgeteld. Er is nog geen overschrijding van het tiental en er worden ook nog geen tientallen opgeteld. Kinderen moeten bij het grondtal goed het onderscheid weten tussen tiental en eenheid. Wanneer dit nog problemen geeft, moet er teruggegaan worden naar het vorige deel in verband met de getalstructuur.
   Wanneer de kinderen doorhebben dat 3 bij 5 opgeteld moet worden en niet 3 + 3 moet worden gedaan, dan lukt het normaal voor dit soort oefeningen.
   Ideaal is dat men de hulpmiddelen van de vorige moeilijkheid hier ook af en toe toepast.

   Bijvoorbeeld: 35+3=... **O**

2. **TE +/- TE**
   Tientallen bij tientallen optellen of aftrekken (waarbij E=0), bijvoorbeeld 50 – 30

   Normaal kent het kind in dit stadium goed zijn tientallen. Het is dan ook niet zo moeilijk om deze stap onder de knie te krijgen. Laat het kind zelf de strategie zoeken om deze oefening op te lossen. Het moet zelf ontdekken dat de tientallen moeten worden opgeteld of afgetrokken en dat er dan gewoon een nul aan wordt toegevoegd. Om kinderen dit zelf te laten ontdekken, geef je het best een reeks oefeningen onder elkaar die het hardop moet oplossen. Lukt dit niet, dan kun je als ouder, leerkracht of therapeut zelf de uitkomst opschrijven waarna het kind de strategie zoekt.

3. **TE +/- TE**
Getal bij ander getal optellen of ervan aftrekken, maar nog geen overschrijding van het tiental, bijvoorbeeld 24 + 15

Ook hier is het belangrijk dat de getalstructuur goed wordt herkend. Het moet voor het kind duidelijk zijn dat de tientallen bij de tientallen en de eenheden bij de eenheden moeten worden opgeteld of afgetrokken. Opnieuw kan met het hulpmiddel van de getalstructuur gewerkt worden.

$$2\ \bigcirc{\!\!\!\!\!4}\ + 1\ \bigcirc{\!\!\!\!\!5}\ = \ldots\ldots\ \bigcirc$$

4. **TE +/- TE**
Optellen en aftrekken met overschrijding van het tiental, bijvoorbeeld 26 + 25, 84 − 18

Dit is de laatste en moeilijkste stap omdat er veel mis kan gaan. Sommige kinderen onthouden de verschillende tussenstappen niet, andere weten niet hoe eraan te beginnen of missen systematisch een tiental. En wanneer de vorige stappen onvoldoende geautomatiseerd zijn, kan het ook gebeuren dat tientallen bij eenheden worden opgeteld of ervan worden afgetrokken.
Er zijn verschillende manieren om deze moeilijkheid te overbruggen.
* Tiental + tiental, eenheid + eenheid en samenvoegen

 36 + 47=   30 + 40 = 70
             6 + 7 = 13
             70 + 13 = <u>83</u>

* Grondtal + eenheid tot aan het volgende tiental en dan de rest eraan toevoegen.

$$56 + 38 = \qquad 56 + 4 = 60$$
$$60 + 34 \text{ (dit is nog over)} = \underline{94}$$

- Grondtal min eenheid, nadien min de rest
$$75 - 17 = \qquad 75 - 5 = 70$$
$$70 - 12 = 70 - 10 - 2 =$$
$$60 - 2 = \underline{58}$$

- Grondtal min tiental, nadien min de eenheid
$$54 - 19 = \qquad 54 - 10 = 44$$
$$44 - 9 = 44 - 4 - 5 = \underline{35}$$

Deze methodes worden meestal ook op school aangeleerd. Voor het oplossen van de problemen is het belangrijk dat er gekozen wordt voor één methode en dat de vorige deelstappen voldoende worden beheerst voordat er naar deze fase wordt overgestapt. Met de vorige deelstappen wordt ook bedoeld dat het kind de splitsingen onder 10 goed moet kennen. Immers, bij aftrekkingen zoals $63 - 28$ is het noodzakelijk dat 8 snel opgesplitst kan worden in 3 en 5.
Enkele aandachtspunten bij het uitvoeren van dit soort oefeningen zijn:
- vorige deelstappen moeten worden beheerst;
- voldoende van dit soort oefeningen maken;
- hardop laten verwoorden (kinderen zijn talig vaak beter);
- oefeningen aanbieden in verschillende vormen (bijvoorbeeld ook in vraagstukken);
- het verwoorden afbouwen en alleen nog laten fluisteren, daarna zonder tussenstappen en nog later mag er bijvoorbeeld op tijd gewerkt worden om na te gaan of de strategie geautomatiseerd is.

Deze problematiek vraagt vaak veel tijd omdat er verschillende vaardigheden moeten worden geleerd voordat men deze oefeningen vlot en foutloos kan maken. Denk maar aan de splitsingen onder 10, de waarde van de cijfers (getalstructuur) en de brugoefeningen tot 20 ($8 + 8$).

Sommige kinderen ontwikkelen hun eigen strategie. Met een grote omweg komen ze ook tot een juiste oplossing. Toch moeten we hier even aandacht aan schenken. Kinderen mógen wel zelf strategieën zoeken en worden daar zelfs toe aangemoedigd, maar het moet wel efficiënt

Ik reken fout

blijven. Een strategie die zelf gevonden is, wordt meestal beter onthouden, maar als die strategie (te) veel tijd vraagt, raakt het kind na een tijd in de knoei. De reden hiervoor is dat deze oefeningen na een tijdje snel moeten kunnen worden uitgevoerd omdat ze noodzakelijk zijn om nieuwe leerstof en de bijbehorende oefeningen te kunnen uitvoeren. Een strategie die niet altijd klopt of te arbeidsintensief is, kan dus beter worden afgevoerd!

> Kinderen met een eigen rekenstrategie die bovendien efficiënt is, moeten hierin aangemoedigd worden.

En nu maar oefenen…

Getallendictee : schrijf het getal dat de juf dicteert in het juiste kadertje. Je mag het cijfer in de 0 zetten.
Bv. 'vierennegentig'   je schrijft de 4 in de 0 van negentig

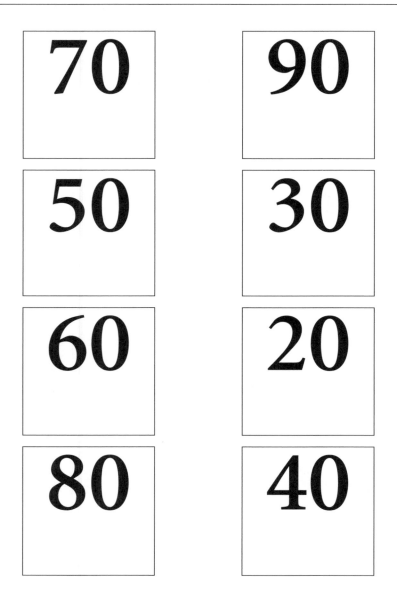

Knip onderstaande kaartjes van o tot 9 uit. Daarna verstevig je de kaartjes van de tientallen.
Thuis of in de klas kan je getallen dicteren of oefeningen maken en telkens de getallen eerst laten leggen vooraleer de uitkomst wordt opgeschreven.

| 0 | 1 | 2 | 3 | 4 | 5 | 6 | 7 | 8 | 9 |

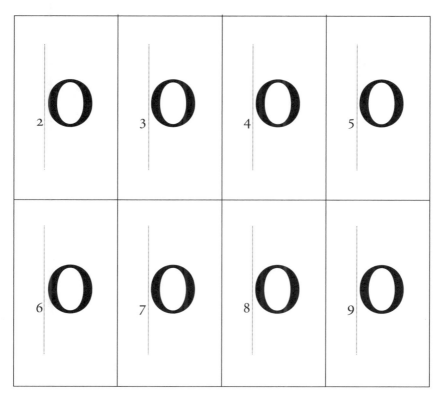

Oefening voor op school.
Werk het vraagstuk uit en schrijf de uitkomst in het kadertje.
Denk aan je trucje !

Boer Jan heeft 32 koeien. 6 koeien krijgen elk een kalfje.
Hoeveel dieren heeft boer Jan dan ?

Bewerking: ....

Antwoordzin: ....

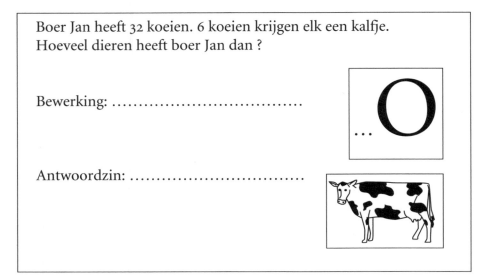

Sara heeft 13 knuffelberen, maar Lien heeft er dubbel zoveel.
Hoeveel knuffelberen heeft Lien ?

Bewerking: ....

Antwoordzin: ....

Ik reken fout

Voer uit! Wanneer je de oefening juist maakt, mag je een kruisje zetten bij het lachende mannetje, anders bij het droevige.

	😊	😞
84 + 4 = ...		
32 + 6 = ...		
73 + 2 = ...		
56 + 3 = ...		
48 + 2 = ...		
12 + 5 = ...		
11 + 8 = ...		
66 + 2 = ...		
54 + 5 = ...		
31 + 5 = ...		
64 + 1 = ...		
24 + 3 = ...		
31 + 6 = ...		
85 + 2 = ...		
71 + 8 = ...		

Voer uit! Wanneer je de oefening juist maakt, mag je een kruisje zetten bij het lachende mannetje, anders bij het droevige.

	🙂	☹
98 - 5 = ...		
36 - 4 = ...		
28 - 1 = ...		
69 - 5 = ...		
44 - 2 = ...		
88 - 8 = ...		
16 - 5 = ...		
27 - 4 = ...		
63 - 1 = ...		
76 - 4 = ...		
19 - 7 = ...		
49 - 8 = ...		
36 - 3 = ...		
47 - 1 = ...		
99 - 9 = ...		

Ik reken fout

Je krijgt 1 minuut de tijd om deze oefeningen op te lossen.
Duid in de grijze vakjes aan tot waar je bent geraakt.

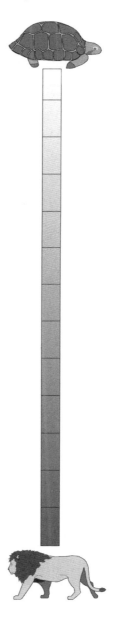

58 - 6 =........
54 + 5 =........
69 - 8 =........
12 + 5 =........
26 - 1 =........
36 + 2 =........
68 - 4 =........
79 - 8 =........
28 - 5 =........
74 + 5 =........
82 + 3 =........
11 + 6 =........
24 - 1 =........

Je krijgt 1 minuut de tijd om deze oefeningen op te lossen.
Duid in de grijze vakjes aan tot waar je bent geraakt.

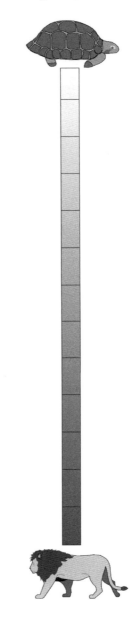

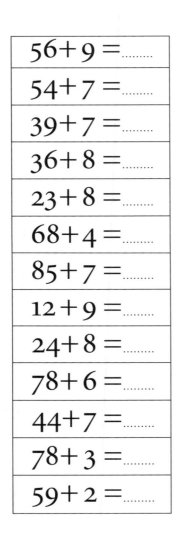

56+9 =........
54+7 =........
39+7 =........
36+8 =........
23+8 =........
68+4 =........
85+7 =........
12+9 =........
24+8 =........
78+6 =........
44+7 =........
78+3 =........
59+2 =........

Ik reken fout

Verbind de oefeningen met de juiste uitkomst. Sommige uitkomsten mogen vaker gebruikt worden.

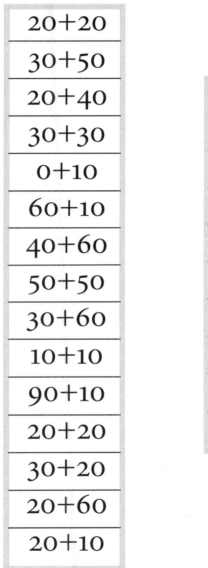

20+20	
30+50	
20+40	10
30+30	20
0+10	30
60+10	40
40+60	50
50+50	60
30+60	70
10+10	80
90+10	90
20+20	100
30+20	
20+60	
20+10	

Verbind de oefeningen met de juiste uitkomst. Sommige uitkomsten mogen vaker gebruikt worden.

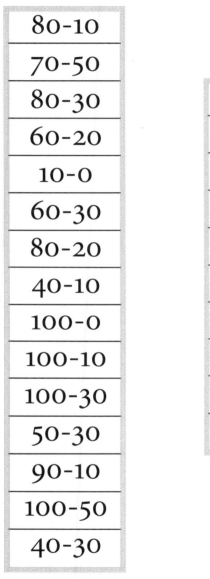

80-10	
70-50	
80-30	10
60-20	20
10-0	30
60-30	40
80-20	50
40-10	60
100-0	70
100-10	80
100-30	90
50-30	100
90-10	
100-50	
40-30	

Ik reken fout

Vul de uitkomst in. Onderaan in het vakje schrijf je de tijd die je nodig had om heel het vakje af te werken. Probeer je eigen record te verbreken!

45+26=	25+46=
47+14=	69+25=
29+56=	48+48=
24+17=	19+45=
36+28=	36+37=
24+37=	73+18=
26+26=	56+39=
39+15=	9+19=
29+57=	54+28=
75+18=	15+69=

Vul de uitkomst in. Onderaan in het vakje schrijf je de tijd die je nodig had om heel het vakje af te werken. Probeer je eigen record te verbreken!

26-17=	87-38=
52-16=	31-12=
63-45=	57-29=
46-28=	62-33=
92-65=	73-45=
98-59=	85-27=
52-28=	63-25=
36-18=	34-18=
24-6=	81-35=
63-17=	32-8=

Ik reken fout

Vul de uitkomst in. Onderaan in het vakje schrijf je de tijd die je nodig had om heel het vakje af te werken. Probeer je eigen record te verbreken!

25+26= 44-18= 36+38= 12+89= 63-37= ☐	84-54= 36+46= 54-38= 62-19= 29+38= ☐
92-45= 26+26= 39+46= 23+28= 65-46= ☐	65-39= 36+58= 12+19= 64-19= 84-38= ☐

Is het antwoord juist of fout ? Zet een kruisje in het vakje.

	juist ☺	fout ☹
20+50=70		
36+37=37		
56-28=32		
91-45=46		
56+34=90		
25+3=58		
29-3=26		
81-24=53		
45+46=81		
23+8=31		
21-3=18		
60-40=10		

Ik reken fout

START | 50+20 | 56+8 | 60-30 | 95-6 | 😊 | 90-5 | 100-20

36-5

45+9 | 22+6 | 87-8 | 💣 | 60-10 | 40+20 | 21+8 | 😞

90-6

10+60 | 24-6 | 65-8 | 12+6 | 😞 | 80+20 | STOP

💣 = opnieuw beginnen

😊 = nog een keer gooien

😞 = een beurt overslaan

Knip alle kaartjes uit en trek ze nadien één voor één uit een doosje.
Ofwel probeer je ze zo snel mogelijk op te lossen,
Ofwel probeer je om geen fouten te maken. Kies maar!

25+26	93-56	20+60	80-40	5+8
100-25	81-37	21+6	15+15	51-18
20-10	26-8	45+48	32+25	19+18
25+25	37+38	91-63	54+30	23+56
64-38	78-16	18+21	90-40	98-5
63+12	98-54	47+26	62-38	50-30

Ik reken fout

7. Tafels: hulp of last?

Tafels dienen om het rekenen te versnellen. Voor de meeste kinderen werkt het ook zo. Sommige leerkrachten maken er een sport van om zoveel mogelijk tafels in 1 minuut op te laten zeggen. Tafels moeten geautomatiseerd zijn om later snel te kunnen optellen, aftrekken of breuken op te lossen.

Toch lukt dit niet voor iedereen. Kinderen met een leerstoornis hebben problemen om dingen geautomatiseerd te krijgen. Voortdurend herhalen en tafels laten opdreunen helpt niet. Soms lukt het tijdelijk, maar zodra er even niet meer geoefend wordt, verdwijnt de nieuw verworven kennis. Daarom moeten er hulpmiddelen gezocht worden om deze tafels op een andere manier aan te leren.

Wim zit in de eerste klas van de middelbare school en klaagt erover dat hij te weinig tijd heeft voor zijn proefwerk wiskunde. Ook haalt hij meestal een minder goed resultaat dan verwacht. Wanneer de ouders het examen inkijken, zien ze dat hij veel kleine telfouten heeft gemaakt, te wijten aan het onvoldoende kennen van zijn tafels. De leerkracht wiskunde vertelt ook dat in de klas duidelijk naar voren komt dat hij tijd verliest omdat zijn tafels niet geautomatiseerd zijn.

Ook al is dit leerstof van het tweede leerjaar/groep 4, toch blijft het belangrijk om deze materie te onderhouden. Op veel terreinen van de wiskunde komt het indirect aan bod.

In wat volgt, worden de tafels apart besproken. De manier van aanleren verschilt vaak per school, per rekenmethode of per leerkracht.

Bij kinderen met een automatisatieprobleem is het belangrijk dat je hulpmiddelen gaat zoeken om die tafels 'erin te krijgen'. De gangbare manier werkt bij hen niet. Soms is het zinvol om hun sterke talige kant te benutten en taal te koppelen aan tafels. Wat dit precies betekent, wordt duidelijk wanneer we de tafels van 7 en 8 aanleren.

Soms worden er verschillende manieren besproken en is het aan de ouder, leerkracht of therapeut zelf om te beslissen welke methode het meest geschikt lijkt voor hun kind.

Het na elkaar opdreunen van de tafels – bijvoorbeeld 6 – 12 – 18 – 24… – heeft meestal weinig zin om tot automatisatie te komen. Ouders en leerkrachten hebben op deze manier vaak het gevoel dat de tafels gekend zijn maar zodra er een willekeurige oefening gegeven wordt, lopen ze vast.

De tafels worden hier in die volgorde voorgesteld die ook de meeste kans op succes heeft. Er wordt ook steeds de nadruk op gelegd dat tafels in twee richtingen kunnen worden aangeboden, dus 9 x 5 is hetzelfde als 5 x 9.

Voordat aan remediëring gedaan wordt, is het belangrijk om uit te maken welke tafels het kind niet kent. Immers, een kind met leerstoornissen heeft een beperkter geheugen, waardoor je het geheugen het best zo weinig mogelijk belast. Dus voor sommige kinderen zal het voldoende zijn om alleen maar drie trucjes van de tafel van 7 en twee van de tafel van 8 te leren, terwijl het voor anderen misschien wel noodzakelijk zal zijn om de hele reeks te doorlopen.

Dit zijn hulpmiddelen, ongetwijfeld bestaan er ook nog vele andere. Belangrijk is dat het kind vooruitgaat en ook het gevoel krijgt dat rekenen lukt.

Tafel 1

Dit is een dankbare tafel om mee te beginnen. Na een paar minuten hebben kinderen het gevoel dat ze al heel wat tafels kennen. Wanneer met deze tafel gestart wordt, is het interessant om de link te leggen met het begrip 'keer'. In plaats van '1 maal 7' klinkt het vaak gemakkelijker om '1 keer 7' uit te voeren. Maar wanneer kinderen deze rekentaal begrepen hebben, zal de tafel van 1 snel geleerd zijn.

In therapie is het soms interessant om deze tafel toch met het kind door te nemen, omdat het zo het gevoel krijgt dat het toch al heel wat kent.

Het best kun je op dit moment ook de tafel van 0 leren. Voor kinderen is het niet altijd vanzelfsprekend dat een getal dat vermenigvuldigd wordt met 0 altijd 0 als resultaat heeft. In een testsituatie zie je hen vaak twijfelen. Ze schrijven eerst een 0, dan het getal zelf en soms verbeteren ze het terug naar 0. Ook zie je hen twijfelen of het bij het optellen 0 wordt of dat dit bij het vermenigvuldigen het geval is.
Onderstaand voorbeeld laat zien dat het voor kinderen niet gemakkelijk is om de tafel van 0 toe te passen.

	1		2		3	
	1+1	= 2	2-1	= 1	1x4	= 4
	2+1	= 3	3-2	= 1	2x2	= 4
	✗ 3+0	= 3 0 10	4-2	= 2	1x7	= 7
	4+1	= 5	3-0	= 3	0x5	= 0
5	2+3	= 5	5-2	= 3	8x1	= 8
	7+2	= 9	8-3	= 4 5	3x10	= 3 0
	3+5	= 8	6-0	= 0	2x9	= 18 16
	0+7	= 0	9-2	= 7	4x4	= 8 0
	2+5	= 7	7-5	= 2	5x8	= 40
10	4+6	= 10	8-6	= 2	6x0	= 0

Tafel 2

Wanneer het kind de brugoefeningen (bijvoorbeeld 8 + 8) goed kent, zijn er voor deze tafels meestal ook weinig problemen te verwachten. De link tussen 7 + 7 en 2 x 7 moet gelegd worden, maar dat blijkt meestal goed te lukken. Belangrijk is natuurlijk dat er vlot kan worden opgeteld tot 20!

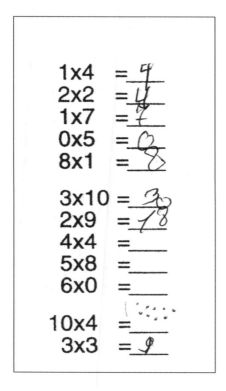

Hier zie je duidelijk dat 2 x 9 niet geautomatiseerd is. Mattias heeft wel door dat hij 9 + 9 moet doen, maar het gaat niet vanzelf. Daarom tekent hij er snel 9 bolletjes bij en telt ze op bij de vorige 9. Hij heeft ook een manier gevonden om tot de oplossing te komen, maar het vraagt natuurlijk veel tijd!

Ik reken fout

Tafel 10

Ook deze tafel is snel te leren. Het kind moet wel vlot de tientallen kunnen opzeggen (twintig, dertig...) om deze tafel onder de knie te krijgen. Maar dan is het gewoon een kwestie van een nul toe te voegen en het juiste tiental te benoemen.

> *Joost was de tafel van 10 aan het oefenen. Eigenlijk ging dit snel. Alleen bij 8 x 10 twijfelde hij even. Het klonk als 'achtig' maar het was toch iets anders.*
> *Joost had nog een beetje problemen met zijn tientallen waardoor er eerst op de naamgeving geoefend moest worden.*

Deze tafel wordt het best na de tafels van 1 en 2 aangeleerd. In korte tijd kunnen ze dan al 30 tafels. En wanneer je ook de tafel van 0 erbij doet, zijn er al 40 tafels gekend.
Het kan voor een kind met leerproblemen (maar ook voor andere kinderen) niet voldoende benadrukt worden dat zij het gevoel moeten krijgen dat het lukt, dat zij ook al heel wat oefeningen snel kunnen maken.

Als therapeut, leerkracht of ouder kun je na deze tafels gemengde oefeningen aanbieden waardoor je een beeld krijgt van de automatisatie van de reeds aangeleerde tafels. Wanneer dit goed lukt, kun je verder gaan met nieuwe maaltafels.

Tafel 5

Na de tafels van 1, 2 en 10 is de tafel van 5 aan de beurt. Hier komt het erop aan dat het kind zelf ontdekt dat de uitkomsten eindigen op een 0 of een 5. Dus wanneer je als therapeut, ouder of leerkracht alleen de uitkomsten opschrijft, moet het kind zelf de systematiek eruit halen. Alles wat een kind zelf ontdekt, blijft beter hangen in het geheugen.

Soms lukt het om enkel met deze kleine tip de tafel van 5 te automatiseren. Je doet oefeningen met deze tafel en na een tijdje lukt het wel om vlot de uitkomsten op te zeggen. Maar soms is dit onvoldoende en is het nodig om wat extra ondersteuning te geven. Een logisch hulpmiddel is uitleggen dat de tafel van 5 de helft is van de tafel van 10. En dit lukt gemakkelijk voor de even tafels, moeilijker wordt het wanneer je 7 x 5 moet uitleggen. Het vinden van de helft van 70 is niet altijd makkelijk. Je kunt het ook op de volgende manier doen:

6 x 5= je neemt de helft van 6 (of je 'kapt' de 6 doormidden, dit is 3, en je voegt een 0 toe

8 x 5= je neemt de helft van 8, dit is 4, en je voegt een 0 toe

4 x 5= je neemt de helft van 4 en voegt een 0 toe, uitkomst is 20

Wat doe je met de oneven tafels? Dit wordt iets moeilijker.

7 x 5= je neemt de helft van 7 maar dit lukt niet, dus neem je de helft van 6 (je neemt dus het cijfer eronder) en voegt een 5 in plaats van een 0 toe

5 x 5   je neemt de helft van 5, dat gaat niet, dus van 4 en voegt een 5 toe

9 x 5   je neemt de helft van 9, dat gaat niet, dus van 8 en voegt een 5 toe

Op deze manier is het iets omslachtiger maar slaagt het kind er meestal wel in om de tafel van 5 onder de knie te krijgen.

Ik reken fout

Tafel 9

- Een mogelijke en vaak gebruikte manier om deze tafel aan te leren, is uitgaan van de tafel van 10. De tafel van 10 is een van de eerste tafels die wordt aangeleerd en men beschouwt deze dan ook als de kapstok voor de tafel van 9.

  Vermenigvuldig het getal eerst met 10 en trek er dan het getal van af. Bijvoorbeeld:

  $$7 \times 9 = (7 \times 10) - 7$$
  $$70 - 7$$
  $$63$$

  $$5 \times 9 = (5 \times 10) - 5$$
  $$50 - 5$$
  $$45$$

  $$3 \times 9 = (3 \times 10) - 3$$
  $$30 - 3$$
  $$27$$

  Deze methode is bruikbaar. Het vraagt soms een beetje rekenwerk maar meestal levert dit geen problemen op. Op deze manier wordt ook het meest inzichtelijk gewerkt.

- Een andere mogelijkheid waarmee kinderen het zelf leren, is het onder elkaar opschrijven van de getallenrij tot 9 en omgekeerd. Op deze manier krijg je de uitkomsten van de tafel van 9.

0	9	1×9
1	8	2×9
2	7	3×9
3	6	...
4	5	
5	4	
6	3	
7	2	
8	1	
9	0	

Tafels: hulp of last?

Wanneer je van tevoren weet dat alleen de tafel van 9 wordt gevraagd, is het inderdaad eenvoudig om deze twee kolommen op te schrijven. Op deze manier heeft men snel het antwoord. Maar het wordt moeilijker wanneer de tafels door elkaar worden opgevraagd (wat ook het uiteindelijke doel is van tafels omdat je alleen dan kunt nagaan of tafels effectief geautomatiseerd zijn). Dan wordt het minder interessant om deze cijfers op te schrijven. Ook is het niet mogelijk om zonder deze kolommen meteen een uitkomst te geven, waardoor het tempo duidelijk wordt vertraagd.

Een andere manier om de tafel van 9 snel te vinden, is het doortellen tot 10 en 1 cijfer lager te nemen dan het vermenigvuldigtal. Een ingewikkelde uitleg voor een eenvoudige methode.
Bijvoorbeeld:

8 x 9 = we tellen 2 bij de 8 om 10 te krijgen en 7 komt net onder de 8. Dus krijgen we het getal 72.

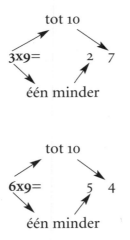

De bedoeling is dat deze methode na een tijd verkort wordt. Dit betekent: zonder hulplijnen en meteen hardop doortellen tot 10. Meestal kun je dit wat langer aanhouden en krijg je zo de tijd om het cijfer te zoeken dat net onder je getal komt. Bijvoorbeeld: 4 x 9 = zeeeeees... en dertig.

Ik reken fout

Een kleine variant hierop is ook mogelijk:

> *Helene heeft een kleine verandering aangebracht aan onze regel. Ze neemt eerst het cijfer dat net onder het vermenigvuldigtal ligt en dan trekt ze dit af van 9. Bijvoorbeeld 8 x 9=… ze weet meteen dat het eerste getal een 7 moet zijn en dan telt ze door tot 9 (7 + 2 = 9 of 9 – 7 = 2). Immers, de som van de cijfers van elke uitkomst is 9!*

Wanneer kinderen zelf met een kleine verandering komen, is dit meestal een goed teken. Dit wil zeggen dat ze zelf strategieën hebben uitgevonden, dat ze ermee bezig zijn en deze methode ook gemakkelijker kunnen onthouden.

Uit de praktijk blijkt dat deze manier om de tafel van 9 te berekenen snel en efficiënt is. Na een beetje oefening kan het kind snel de uitkomst zeggen zonder veel te moeten rekenen. Ook moet het niets opschrijven en kan er gemakkelijk overgestapt worden van de ene methode naar de andere.

Voor de tafel van 9 zijn er blijkbaar meerdere mogelijkheden! Een laatste voorbeeld dat besproken wordt, is de methode met de vingers.

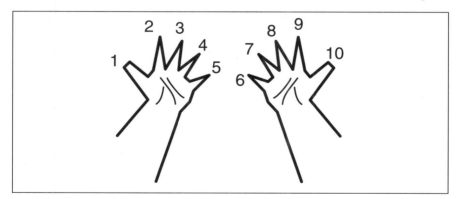

Elke vinger van onze beide handen krijgt een nummer. Wanneer je een opgave krijgt, buig je die vinger om die het getal aanduidt waarmee je vermenigvuldigt. Aan de linkerkant van de gebogen vinger krijg je het cijfer van de tientallen, rechts van de vinger krijg je het cijfer van de eenheden.
Bijvoorbeeld: 3 x 9

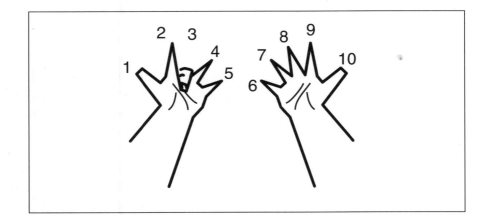

Links van de middelvinger zie je nog twee vingers. Dit vormt het getal van de tientallen. Rechts van de vinger heb je nog 7 vingers, dit vormt het getal van de eenheden.

Ook een methode die goed werkt. Wel moet je hierbij je vingers gebruiken en soms wordt dit niet geapprecieerd door leerkrachten.

Tafel 7

Samen met de tafel van 8 en soms van 6 wordt deze beschouwd als een van de vervelendste of moeilijkste tafels. Weinig hulpmiddelen zijn hier al voor uitgevonden. Meestal worden ze er elke avond ingedreund of hangt men de struikelgevallen ergens op zodat het kind er vaak mee geconfronteerd wordt.

Uit de praktijk blijkt dat deze tafels bij kinderen met een leerstoornis moeilijk te automatiseren zijn, zelfs met veel oefenen! Daarom werden er voor de tafel van 7 rijmpjes gemaakt. Immers, taal is vaak hun sterke kant. Het is wel belangrijk dat er zowel een visuele als een auditieve steun aan de tafel wordt toegevoegd. Ook is het belangrijk dat het kind 'het trucje' steeds verwoordt.

We gaan ervan uit dat de tafels van 1, 2, 5, 9 en 10 al gekend zijn. Het kind weet ondertussen ook dat het tafels in een andere volgorde kan opzeggen.
Bij het aanleren van de tafel van 7 kan men eerst een lijst maken met alle tafels onder elkaar. De oefeningen die het kind spontaan kan, mag het inkleuren. Uiteindelijk zal het inzien dat er maar een paar moeilijke tafels van 7 overblijven. En deze zullen we aan de hand van rijmpjes aanleren. Het kind moet weten dat zodra er een 7 in de maaltafel voorkomt, er een rijmpje voorhanden is. Belangrijk is ook dat de moeilijke tafels niet in één keer worden aangeboden maar dat er bijvoorbeeld twee of maximaal drie tafels worden geoefend. Wanneer deze goed lukken, kan men er een paar toevoegen. Het is ook noodzakelijk dat deze tafels eerst geïsoleerd worden geoefend. Wanneer je als ouder, leerkracht of therapeut het gevoel hebt dat ze gekend zijn, kun je ze beginnen mengen met al eerder aangeleerde tafels.

7x3   zit op de knie

7x4   zwemt in het wier

© Martine Ceyssens, *Ik reken fout* (uitgeverij Lannoo)

     Ik reken fout

7x6   mes en crèche

4 2

7x7   een cactus in de regen

49

© Martine Ceyssens, *Ik reken fout* (uitgeverij Lannoo)

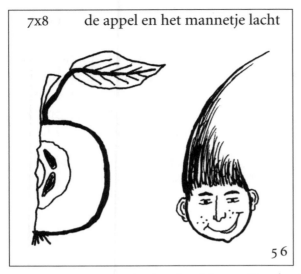

7x8   de appel en het mannetje lacht

56

© Martine Ceyssens, *Ik reken fout* (uitgeverij Lannoo)

Probeer ook steeds op verschillende manieren te oefenen. In het hoofd-stuk met oefeningen zijn een paar voorbeelden opgenomen. In een eer-ste fase is het heel belangrijk dat het kind ook steeds het rijmpje opzegt, vooral om spiegelingen te voorkomen. Wanneer het '7 x 6= mes en crèche' zegt, weet het ook dat eerst de 4 van mes moet komen en daar-na de 2 van crèche. In een volgende fase laat je het kind het rijmpje bij-voorbeeld fluisteren zodat het daarna vlot kan antwoorden zonder dat het rijmpje nog gebruikt wordt.

Tafel 6

Ondertussen hebben we de eenvoudige tafels en de tafel van 7 geleerd. Bij de tafel van 6 zijn vooral de volgende tafels moeilijk:

4 x 6

6 x 6

7 x 6

8 x 6

9 x 6

De laatste (9 x 6) hebben we al geleerd bij de tafel van 9 en 7 x 6 kan opgelost worden met het rijmpje. Dan blijven alleen nog 4 x 6, 6 x 6 en 8 x 6 over. En hiervoor bestaat een eenvoudig hulpmiddel.

Als éénheid neem je het getal dat met 6 vermenigvuldigd wordt en als tiental neem je de helft van de éénheid. Bijvoorbeeld:

6 x 8=   eerst neem je de 8 (want dit getal wordt met 6 vermenigvul- digd), dan neem je de helft van 8 = 4, samen geeft dit 48

6 x 4   eerst heb je 4, de helft van 4 is 2, dit geeft 24

6 x 6   eerst 6, 6: 2 = 3, dus 36

Het voordeel van dit hulpmiddel is dat het niet in de lijn ligt van de andere hulpmiddelen. Het is geen rijmpje en ook geen aftrekoefening zoals bij de tafel van 9. Kinderen moeten eerst de rijmpjes van de tafel van 7 goed onder de knie hebben om daarna de tafel van 6 snel te kun- nen koppelen aan dit trucje.

Ik reken fout

Tafel 8

Samen met de tafels van 6 en 7 zorgt deze tafel vaak voor problemen. We gaan ervan uit dat eerst de tafels van 7, 6 en 9 werden geleerd. Aangezien we er steeds de nadruk op leggen dat tafels in twee richtingen dezelfde uitkomst geven, kennen ze de volgende tafels al:

0 x 8

1 x 8

2 x 8

5 x 8

6 x 8

7 x 8

9 x 8

De resterende tafels zijn die van 3, 4 en 8. Belangrijk is dat er een ander soort hulpmiddel gevonden wordt voor deze tafel dan bij de vorige tafels, omdat er anders verwarring optreedt. Stel dat er opnieuw met een rijmpje gewerkt zou worden, dan bestaat er veel kans dat het kind niet meer weet over welke tafel het gaat.

Daarom wordt de maaltafel van 8 vergeleken met een 'glijbaan'. Met de plaatjes wordt duidelijk wat hiermee bedoeld wordt.

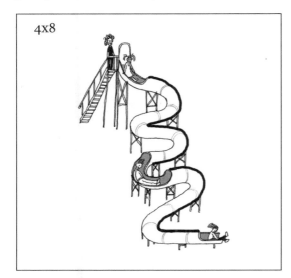

4x8

Aan het kind wordt uitgelegd dat je van de 4 naar beneden glijdt en dan terechtkomt bij de 3 en dan bij de 2. Zo kom je bij de uitkomst van 32 terecht.

© Martine Ceyssens, *Ik reken fout* (uitgeverij Lannoo)

Tafels: hulp of last?

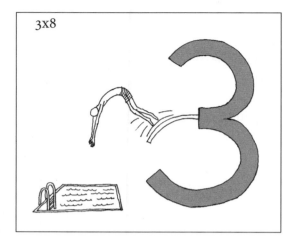

3x8

Bij de 3 heb je tussenin een 'sprinkplank'. Eerst duw je je af en daal je een beetje waardoor je de 2 krijgt, dan spring je omhoog naar de 4. Zo krijg je 24.

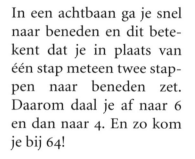

8x8

In een achtbaan ga je snel naar beneden en dit betekent dat je in plaats van één stap meteen twee stappen naar beneden zet. Daarom daal je af naar 6 en dan naar 4. En zo kom je bij 64!

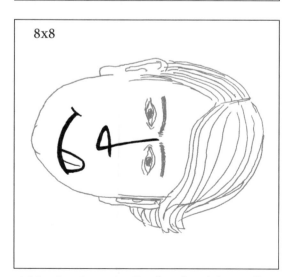

8x8

Voor de kinderen die de tafel van 7 niet nodig hebben, maar alleen moeite hebben met de tafel van 8, kun je natuurlijk wel een rijmpje invoeren. Uit de praktijk is gebleken dat het erg goed werkt.
Acht maal acht 'lacht'. In het hoofdje dat 90° gedraaid is, vormt de 6 een mond en de 4 een neus.

© Martine Ceyssens, *Ik reken fout* (uitgeverij Lannoo)

Ik reken fout

Op dit moment zijn de 'moeilijke' tafels aangeleerd. De tafels van 6, 7 en 8 worden op dit moment het best door elkaar geoefend, en voorlopig nog niet gemengd met de andere tafels (1, 2, 5, 10, 9 en 0).
Voorbeelden van oefeningen vind je aan het einde van dit hoofdstuk.

Wanneer je het gevoel hebt dat dit lukt (eventueel eens onder tijdsdruk oefenen), kun je gemengde oefeningen aanbieden.

Tafels 3 en 4

Tot nu toe kwamen de tafels van 3 en 4 nog niet aan bod. Hoewel de tafels van 6, 7 en 8 moeilijker zijn dan die van 3 en 4, kunnen ze toch het best eerder worden aangeboden. De reden hiervoor is dat er een paar trucjes moeten worden onthouden voor de tafels van 6, 7 en 8 en je zo de probleemgevallen van de tafel van 3 en 4 automatisch oplost. 7 x 4, 7 x 3, 8 x 4 en 8 x 3 zijn ondertussen gekend en de rest van de tafels lukt meestal wel. Af en toe geeft 3 x 4 problemen. Je kunt dan als hulpmiddel geven dat 12 = 3 x 4, dus dat deze tafel 4 opeenvolgende cijfers heeft.

$$12 = 3 \ldots 4$$

Maar bij Wesley verliep het anders:
Doordat het tempo in de klas zo hoog lag, kreeg hij zijn maaltafels niet op tijd geautomatiseerd. Daarom werden er met de juf afspraken gemaakt.
1. *eerst aanduiden welke hij al kan*
2. *dan die met trucjes*
3. *tafelkaart gebruiken (kaart waarop tafels staan waar geen trucjes voor waren gevonden)*
Na een tijdje stonden er steeds minder maaltafels op de tafelkaart en nog wat later waren ze helemaal geautomatiseerd.

Ik reken fout

Besluit

De reeks van tafels is afgewerkt. Een hele klus! Uit ervaring blijkt dat kinderen op deze manier sneller succes boeken en het ook leuk vinden. Erin dreunen is vaak een erg arbeidsintensieve manier van werken met dan nog weinig succes als gevolg. Met hun rijmpjes en kleine trucjes lukt het hen vaak even snel als de rest van de klas om de tafels op te zeggen. En op een leuke manier.

Doordat sommige kinderen de hele reeks van hulpmiddelen gebruiken, moet je als ouder, leerkracht of therapeut ook geregeld het kind laten verwoorden welk soort hulpmiddel het gebruikt bij welk soort tafel. Het is nuttig om de volgende oefening af en toe te doen:

Th= therapeut
Kd= kind

Th: We gaan de tafels even oefenen maar eerst ga je me vertellen waaraan je moet denken wanneer we die tafel moeten oefenen.
Kd: Oké.
Th: De tafel van 5.
Kd: Doormidden kappen.
Th: Goed, de tafel van 7.
Kd: De rijmpjes.
Th: Knap, de tafel van 8.
Kd: de glijbaan.
Th: Mooi…

Op deze manier leert het kind snel de overgang maken van de ene tafel naar de andere, wat ook nodig is om de tafels geautomatiseerd te krijgen.

En nu oefenen maar…

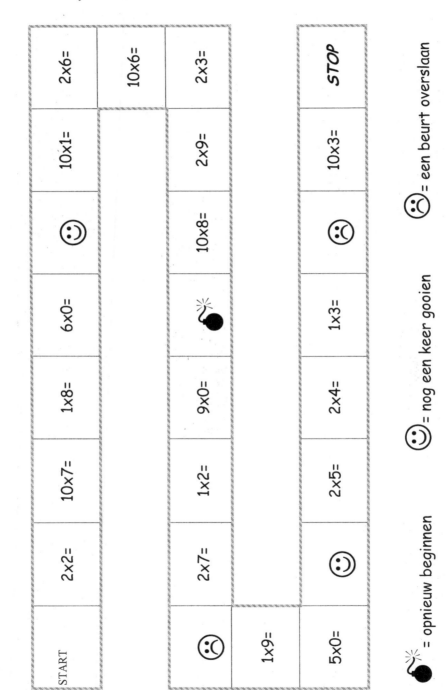

126   *Ik reken fout*

Voer uit! Wanneer je de oefening juist maakt, mag je een kruisje zetten bij het lachende mannetje, anders bij het droevige.

	😊	😞
5 X 5 =		
5 X 6 =		
5 X 2 =		
5 X 3 =		
5 X 10 =		
5 X 9 =		
5 X 4 =		
5 X 1 =		
5 X 8 =		
5 X 7 =		
5 X 0 =		
5 X 6 =		
5 X 9 =		
5 X 10 =		
5 X 4 =		

Je krijgt 1 minuut de tijd om deze oefeningen op te lossen.
Duid in de grijze vakjes aan tot waar je bent geraakt.

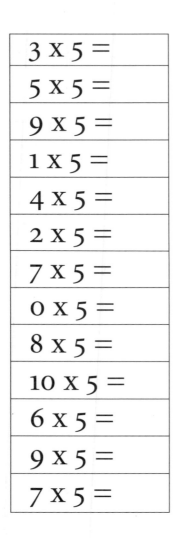

3 x 5 =
5 x 5 =
9 x 5 =
1 x 5 =
4 x 5 =
2 x 5 =
7 x 5 =
0 x 5 =
8 x 5 =
10 x 5 =
6 x 5 =
9 x 5 =
7 x 5 =

Ik reken fout

Voer uit! Wanneer je de oefening juist maakt, mag je een kruisje zetten bij het lachende mannetje, anders bij het droevige.

	🙂	🙁
2 X 3 =		
5 x 8 =		
10 X 2 =		
1 x 6 =		
2 X 9 =		
10 X 4 =		
2 X 7 =		
5 x 6 =		
2 X 4 =		
1 x 8 =		
1 X 10 =		
5 X 7 =		
2 x 6 =		
10 x 8 =		
1 X 9 =		

Bij de volgende oefening zijn er verschillende mogelijkheden:

1. plastificeer dit blad en speel het spel per twee. Het kind begint met de oefeningen en mag verder spelen zolang de oefeningen correct zijn en zolang ze binnen een bepaalde tijdsmarge worden opgelost. Wordt er een fout gemaakt, dan is het de beurt aan de tegenspeler. Opnieuw hetzelfde principe. Het kind moet telkens controleren of de tegenspeler wel geen fout heeft gemaakt.

2. Een andere mogelijkheid is om deze kaartjes uit te knippen en ze een voor een uit een doosje te trekken. Je kan het ook tegen de tijd doen om het wat spannender te maken. Let er wel op dat de tijdslimiet haalbaar is. Je kan stilletjesaan versnellen.

3. Ook zonder ze uit te knippen kun je bijvoorbeeld vooropstellen dat het kind 2 minuten de tijd heeft om rij per rij te overlopen. Het kind kan dan het kaartje kleuren tot waar het geraakt is. De dag nadien krijgt het opnieuw een kans.

4.   ...

Ik reken fout

Opmerking: deze oefenvariaties zijn voor alle oefeningen met deze blad-structuur van toepassing.

10X3	5X4	2X8	2X7	10X9
5X6	5X5	10X3	1X9	2X6
2X1	8X0	10X5	1X3	7X5
10X4	1X7	1X8	2X4	10X3
5X4	1X10	10X1	2X5	2X3
10X4	5X0	9X5	3X5	2X4
1X1	0X6	2X10	8X5	5X0
1X3	5X8	10X5	1X9	6X5

Voer uit! Wanneer je de oefening juist maakt, mag je een kruisje zetten bij het lachende mannetje, anders bij het droevige.

	☺	☹
9 X 9 =		
9 X 2 =		
9 X 6 =		
9 X 5 =		
9 X 8 =		
9 X 4 =		
9 X 10 =		
9 X 3 =		
9 X 1 =		
9 X 7 =		
9 X 0 =		
9 X 4 =		
9 X 6 =		
9 X 8 =		
9 X 2 =		

Je krijgt 1 minuut de tijd om deze oefeningen op te lossen.
Duid in de grijze vakjes aan tot waar je bent geraakt.

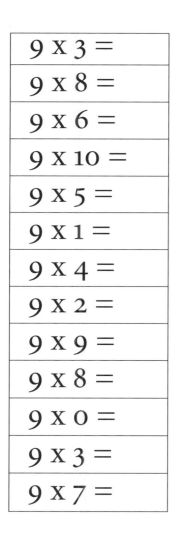

9 x 3 =
9 x 8 =
9 x 6 =
9 x 10 =
9 x 5 =
9 x 1 =
9 x 4 =
9 x 2 =
9 x 9 =
9 x 8 =
9 x 0 =
9 x 3 =
9 x 7 =

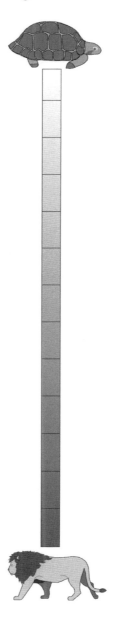

Tafels: hulp of last?

Je krijgt 1 minuut de tijd om deze oefeningen op te lossen.
Duid in de grijze vakjes aan tot waar je bent geraakt.

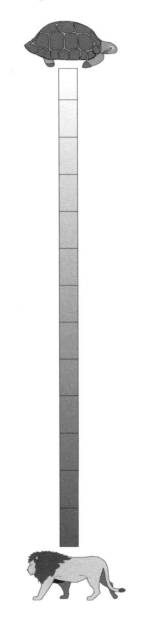

7 x 4 =
7 x 7 =
7 x 8 =
7 x 2 =
7 x 10 =
7 x 9 =
7 x 1 =
7 x 5 =
7 x 2 =
7 x 6 =
7 x 8 =
7 x 3 =
7 x 0 =

Ik reken fout

Voer uit! Wanneer je de oefening juist maakt, mag je een kruisje zetten bij het lachende mannetje, anders bij het droevige.

	☺	☹
7 x 3 =		
7 x 8 =		
7 x 4 =		
7 x 5 =		
7 x 10 =		
7 x 0 =		
7 x 9 =		
7 x 6 =		
7 x 1 =		
7 x 7 =		
7 x 2 =		
7 x 5 =		
7 x 7 =		
7 x 6 =		
7 x 8 =		

Tafels: hulp of last?

Voer uit! Wanneer je de oefening juist maakt, mag je een kruisje zetten
bij het lachende mannetje, anders bij het droevige.

	🙂	🙁
6 x 6 =		
6 x 5 =		
6 x 9 =		
6 x 3 =		
6 x 10 =		
6 x 7 =		
6 x 8 =		
6 x 2 =		
6 x 0 =		
6 x 4 =		
6 x 1 =		
6 x 9 =		
6 x 6 =		
6 x 8 =		
6 x 3 =		

Ik reken fout

Voer uit! Wanneer je de oefening juist maakt, mag je een kruisje zetten bij het lachende mannetje, anders bij het droevige.

	😊	😞
8 x 8 =		
8 x 5 =		
8 x 4 =		
8 x 3 =		
8 x 7 =		
8 x 9 =		
8 x 2 =		
8 x 6 =		
8 x 10 =		
8 x 4 =		
8 x 1 =		
8 x 5 =		
8 x 0 =		
8 x 8 =		
8 x 6 =		

Tafels: hulp of last?

Verbind de oefeningen met de juiste uitkomst.

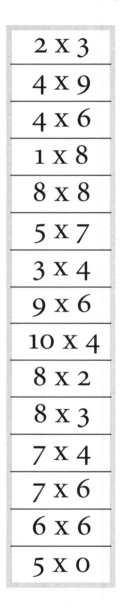

2 x 3	8
4 x 9	24
4 x 6	64
1 x 8	12
8 x 8	28
5 x 7	36
3 x 4	6
9 x 6	0
10 x 4	35
8 x 2	16
8 x 3	54
7 x 4	42
7 x 6	40
6 x 6	24
5 x 0	36

Ik reken fout

Je krijgt 1 minuut de tijd om deze oefeningen op te lossen.
Duid in de grijze vakjes aan tot waar je bent geraakt.

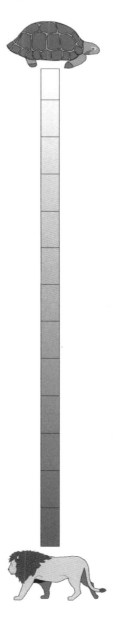

8 x 4 =
9 x 3 =
7 x 7 =
5 x 5 =
10 x 6 =
2 x 8 =
3 x 7 =
6 x 6 =
8 x 6 =
5 x 4 =
3 x 3 =
4 x 6 =
7 x 9 =

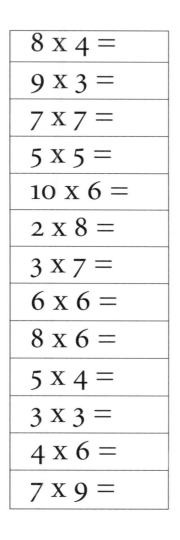

Tafels: hulp of last?

7x7	8x4	9x5	7x8	4x4
3x6	5x5	9x9	7x4	9x8
7x3	7x6	8x5	6x4	9x4
8x6	7x5	3x4	9x6	6x6
5x4	7x4	7x8	9x7	8x8
4x8	7x10	6x5	4x6	5x3
9x5	8x3	5x8	4x4	4x9
8x6	7x7	7x3	4x7	8x5

Voer uit! Wanneer je de oefening juist maakt, mag je een kruisje zetten bij het lachende mannetje, anders bij het droevige.

	😊	😞
9 x 3 =		
8 x 6 =		
7 x 7 =		
7 x 8 =		
9 x 6 =		
8 x 4 =		
8 x 3 =		
7 x 4 =		
7 x 6 =		
9 x 9 =		
8 x 8 =		
7 x 5 =		
7 x 9 =		
8 x 3 =		
9 x 10 =		

Voer uit! Wanneer je de oefening juist maakt, mag je een kruisje zetten bij het lachende mannetje, anders bij het droevige.

	😊	😞
6 x 6 =		
8 x 4 =		
7 x 3 =		
6 x 4 =		
6 x 3 =		
8 x 8 =		
7 x 6 =		
7 x 5 =		
8 x 4 =		
6 x 9 =		
6 x 8 =		
8 x 7 =		
8 x 9 =		
7 x 7 =		
7 x 2 =		

Ik reken fout

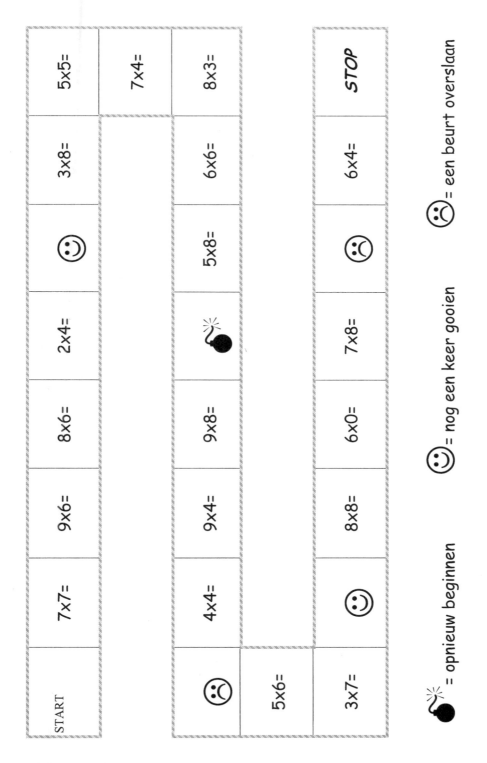

START

7×7=

9×6=

8×6=

2×4=

😊

3×8=

5×5=

7×4=

4×4=

9×4=

9×8=

💣

5×8=

6×6=

8×3=

5×6=

😞

3×7=

😊

8×8=

6×0=

7×8=

6×4=

😞

STOP

💣 = opnieuw beginnen

😊 = nog een keer gooien

😞 = een beurt overslaan

Tafels: hulp of last?

8. Delen: het omgekeerde van de tafels?

Inderdaad, het omgekeerde van de net geleerde maaltafels. Toch is het niet zo eenvoudig voor het kind om het delen af te leiden van de maaltafels. Kinderen vinden niet altijd het ontbrekende cijfer.
Daarom wordt er in dit hoofdstuk een poging gedaan om hulpmiddelen voor deze moeilijkheid te beschrijven. Belangrijk is dat eerst de maaltafels volledig geautomatiseerd zijn voordat met het delen wordt gestart. Reden hiervoor is dat anders de trucjes van het delen botsen met de hulpmiddelen van de maaltafels.

Soms is het voldoende om enkel een trucje voor het delen door 6 en 8 aan te leren. Soms is het nodig om iets uitgebreider te werk te gaan. Het is dus het best om eerst te analyseren welke deelsommen problemen geven en dan gericht hierop te werken. Op deze manier wordt het geheugen het minst belast.

De trucjes bij het delen zijn eenzijdiger dan die bij de maaltafels. Tot grote spijt van veel kinderen zijn er geen rijmpjes mogelijk omdat de uitkomsten altijd cijfers zijn van 1 tot 10. Er zit minder variatie in dan bij de maaltafels. Doordat er meestal iets bijgeteld wordt bij het eerste of tweede cijfer van het deeltal, zijn de trucjes gelijksoortig. Dit betekent dan ook dat er niet te snel mag worden overgegaan naar een nieuwe deelsom.
Ook is het belangrijk om in een latere fase (wanneer al verschillende deelsommen werden aangeleerd) geregeld het 'soort trucje' te bespreken met het kind. Bijvoorbeeld: 'Bij het delen door 6 doe ik…, bij het delen door 9…' Op deze manier help je het kind om snel van de ene deelsom over te stappen naar een andere en bevorder je de automatisatie.

De delingen worden beschreven in de volgorde die ook het gemakkelijkst is om ze aan te leren.

Delen door 1

Net zoals bij de maaltafel van 1 krijg je bij het delen door 1 ook steeds het getal zelf. Dit is dus een gemakkelijke som om mee te beginnen. Later kun je deze ook uitbreiden naar grote getallen. Wanneer het kind het principe van het delen door 1 doorheeft, dan moet dit ook zonder problemen lukken. Het is dus een soort controlemiddel.

$5 : 1 = 5$
$8 : 1 = 8$
$32 : 1 = 32$
$105 : 1 = 105$

Meestal hoeft dit in therapie niet meer aangeleerd te worden.

Ik reken fout

Delen door 2

Ook deze sommen zijn meestal gekend. Al vanaf het eerste leerjaar/groep 3 is het principe 'de helft van...' aan bod gekomen. Ook is het optellen van gelijke getallen ondertussen geautomatiseerd (bijvoorbeeld 7 + 7). Daardoor zorgen ook deze sommen voor weinig problemen:

14: 2 = 7
18: 2 = 9
20: 2 = 10

Controleer toch steeds of de sommen echt gekend zijn. Bij het oefenen kun je er ook het best voor zorgen dat de oefeningen door elkaar worden aangeboden. Soms denken kinderen dat ze het delen door 2 beheersen omdat ze vlot in stappen van 2 tot 20 kunnen tellen. Dit is dus niet hetzelfde!

Delen door 10

Ook deze sommen krijgen minder aandacht omdat ze meestal ook voor weinig problemen zorgen. Laat het kind zelf ontdekken wat er gebeurt als je deelt door 10. Dat kan door een aantal oefeningen te geven met de uitkomst.

50: 10 = 5
70: 10 = 7
20: 10 = 2

Wanneer het kind zelf de strategie ontdekt, zal het de strategie beter onthouden. Eventueel kun je ook hier uitbreiden naar grotere getallen om te zien of de regel echt wordt beheerst.

Ik reken fout

Delen door 9

Deze sommen zijn al niet meer zo vanzelfsprekend. Vooral wanneer kinderen de tafel in stapjes opzeggen, duurt het lang voordat ze de uitkomst vinden.

Th.: Hoeveel is 63: 9?
Marie: Eh… (ze begint op haar vingers te tellen) 9 18 27 36… (en bij elke stap telt ze op haar vingers hoeveel keer ze negen heeft genomen).
Ik denk 6.
Th.: Ik denk dat je je vergist hebt.
Marie: 9 18 27… (begint opnieuw) Oh nee, het is 7.

Op deze manier lukt het wel, maar vraagt het wel veel tijd. En die tijd is niet altijd aanwezig.
Gelukkig bestaat er een eenvoudig hulpmiddel voor delen door 9.

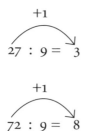

$$+1$$
$$27 : 9 = 3$$

$$+1$$
$$72 : 9 = 8$$

Wanneer je deelt door 9, tel je bij het eerste cijfer 1 eenheid bij!

$$36 : 9 = 4 \ (3 + 1)$$
$$54 : 9 = 6 \ (5 + 1)$$
$$45 : 9 = 5 \ (4 + 1)$$
$$18 : 9 = 2 \ (1 + 1)$$
$$63 : 9 = 7 \ (6 + 1)$$

Op deze manier is delen door 9 gemakkelijk. Kinderen moeten dus alleen onthouden dat ze 1 eenheid bij het eerste cijfer moeten tellen.

Delen: het omgekeerde van de tafels?

Maar er is ook een andere manier om te delen door 9. Die gaat als volgt:

bijtellen tot 10

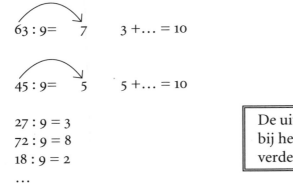

63 : 9=   7   3 +... = 10

45 : 9=   5   5 +... = 10

27 : 9 = 3
72 : 9 = 8
18 : 9 = 2
...

> De uitkomst vind je door
> bij het tweede cijfer
> verder te tellen tot 10.

Beide mogelijkheden zijn eenvoudig en lukken altijd. Toch is de eerste methode gemakkelijker. Het kind hoeft hier niet meer te tellen.
Kinderen kijken vaak verwonderd op wanneer ze merken dat deeltafels zo eenvoudig kunnen zijn.

Ik reken fout

Delen door 5

Soms lukken deze delingen wel omdat de tafel van 5 er al lang in werd gedreund. Een hulpmiddel kan zijn dat men het dubbele van het getal neemt en de 0 weglaat. Dit betekent wel dat het kind vlot het dubbel van een getal moet kunnen vormen.

Het dubbele van 40 = 80
0 weglaten = 8

40 : 5 = 8

Het dubbele van 30 = 60
0 weglaten = 6

30 : 5 = 6

25 : 5= 5   het dubbele van 25 = 50
              0 weglaten = 5

35 : 5= 7   het dubbele van 35 = 70
              0 weglaten = 7

Voor kinderen die het moeilijk vinden om het dubbele van zo'n groot getal te vormen, kan men ook het dubbele nemen van het eerste cijfer. Bijvoorbeeld 40: 5 = 8 (het dubbele van 4). Wel is er dan een probleem met 35: 5. Dit kan men oplossen door het dubbele van het eerste cijfer te nemen, maar dit altijd te vermeerderen met 1 als er een 5 als tweede cijfer staat. Bijvoorbeeld 25: 5 = (het dubbele van 2 = 4 en vermeerderen met 1, is dus 5). Hetzelfde principe dus maar voor sommige kinderen iets eenvoudiger.

Delen door 8

Net zoals bij de tafel van 8 is ook het delen door 8 moeilijk, deels omdat kinderen niet zo snel in stappen van 8 kunnen tellen. Toch is hier een gemakkelijk hulpmiddel voor. Als ouder, leerkracht of therapeut moet je eerst nagaan of alle delingen door 8 problemen opleveren of dat het alleen maar bij de grootste getallen moeilijk gaat. De reden hiervoor is dat er twee trucjes nodig zijn voor deze deeltafel, één voor de lage getallen en één voor de hogere getallen.

$$6+2$$

$$64 : 8 = \quad 8$$
$$56 : 8 = \quad 7 \qquad (5+2)$$
$$72 : 8 = \quad 9 \qquad (7+2)$$
$$48 : 8 = \quad 6 \qquad (4+2)$$
$$80 : 8 = \quad 10 \qquad (8+2)$$

Helaas geldt dit niet voor alle delingen door 8. Voor de getallen kleiner dan 48 moet er maar 1 worden bijgeteld. Maar meestal hebben de kinderen vooral last met bovenstaande delingen, zodat het tweede trucje niet hoeft te worden aangeleerd.
Voor het geval dat wel nodig is, zetten we ze op een rijtje.

$$4+1$$

$$40 : 8= \quad 5$$
$$32 : 8 = \quad 4 \qquad (3+1)$$
$$16 : 8 = \quad 2 \qquad (1+1)$$
$$24 : 8 = \quad 3 \qquad (2+1)$$

Voor het kind is het het meest eenduidig wanneer alleen het eerste trucje nodig is. Op deze manier weet het dat er bij de deling door 9 maar 1 hoeft te worden bijgeteld en 2 bij de deling door 8. Om zich hierin niet te vergissen kan men uitleggen dat het cijfer 8 bestaat uit 2 bolletjes waardoor er ook 'plus 2' moet worden gedaan, en dat het cijfer 9 maar bestaat uit 1 bolletje waardoor er maar 'plus 1' moet worden gedaan!

Wanneer er twee of drie delingen zijn aangeleerd, is het belangrijk dat deze ook samen worden geoefend. Ook het verbaliseren van het soort trucje is nodig: wat moet je doen bij delingen door 9? Wat moet je doen wanneer je 'gedeeld door 8' hoort? Wat doe je bij delingen door 5? Snel kunnen verwoorden zorgt ervoor dat kinderen in hun hoofd ook snel de overgang maken van de ene deelsom naar de andere.

Delen door 6

Het trucje bij deze delingen gaat niet op bij alle getallen, maar alleen bij die waarvan de uitkomst een even getal is. Het bestaat erin om steeds het laatste cijfer van het getal te nemen.

hetzelfde cijfer

36 : 6=   6
48 : 6=   8
24 : 6=   4
12 : 6=   2

> Bij delingen door 6 neemt men het laatste cijfer van het getal (geldt alleen bij even uitkomst).

Alleen bij de getallen 42, 30 en 54 geldt deze truc niet. Uit de praktijk blijkt dat kinderen toch blij zijn met dit hulpmiddel omdat ze anders totaal geen houvast hebben bij delingen door 6. Ook bij de tafel van 6 geldt dat het trucje alleen werkt bij de even vermenigvuldigers. Zo zijn ze er al een beetje mee vertrouwd.

Wanneer het kind delingen door 6 kent, moeten ze weer gemengd worden met de al bekende delingen. Als ook dit zonder problemen lukt, mag men overstappen naar de volgende delingen.

Ik reken fout

Delen door 7

De hulpmiddelen bij de delingen liggen allemaal in dezelfde lijn, ook bij de delingen door 7. Opnieuw moet men uitmaken of het kind deze wel nodig heeft. In plaats van 1 of 2 bij het eerste cijfer te tellen, moet men er nu 3 bijtellen.

$$4+3$$

$$49 : 7 = \quad 7$$
$$56 : 7 = \quad 8 \quad (5+3)$$
$$63 : 7 = \quad 9 \quad (6+3)$$
$$70 : 7 = \quad 10 \quad (7+3)$$

En hier houdt het op. Bij de kleinere getallen klopt het trucje niet meer. Daarom moet duidelijk gemaakt worden dat het alleen geldt bij de grotere getallen. En ook moet van tevoren een analyse gemaakt worden van de delingen door 7. Stel dat alleen 42: 7 en 56: 7 problemen opleveren, dan is dit hulpmiddel niet effectief. Een hulpmiddel heeft alleen maar zin wanneer er meerdere moeilijkheden mee worden opgelost. Anders is het te belastend voor het geheugen.

> Een hulpmiddel is zinvol wanneer er meerdere moeilijkheden worden opgelost. Anders is dit te belastend voor het geheugen.

Een andere manier om delingen door 7 aan te leren, is opnieuw gebruikmaken van de rijmpjes van de tafel van 7. De kinderen kennen deze tekeningen en rijmpjes ondertussen goed. Het voordeel is ook dat de eentonigheid doorbroken wordt. Hoe gaat dit?
We gaan uit van de tekeningen, de kinderen zeggen het rijmpje op en ze zoeken een rijmwoordje op het laatste woord. Dit is de uitkomst. Kinderen met een grote taalgevoeligheid zullen misschien wel opmerken dat 'crèche' en 'zes' niet echt rijmen, maar meestal zorgt dit voor weinig problemen.

*Het kind zegt 'mes en crèche'.
*Wat rijmt er op crèche?
*Zes
Het antwoord is dus 6.

*Zwemt in het wier
*Wat rijmt er op wier?
*Vier
Dus 28 :7 is vier.

© Martine Ceyssens, *Ik reken fout* (uitgeverij Lannoo)

Ik reken fout

*Cactus in de regen
*Wat rijmt er op regen?
*Eigenlijk negen

Dit is dus een probleem. Doordat ze hun tafels goed kennen, zullen de meeste kinderen wel 'zeven' antwoorden. Toch moet men hier dus op zijn hoede zijn.

*Zit op de knie
*Wat rijmt er op knie?
*Drie
21 : 7 is dus 3.

*Appel en kindje lacht
*Wat rijmt er op lacht?
*Acht
56 : 7 is dus 8.

© Martine Ceyssens, *Ik reken fout* (uitgeverij Lannoo)

Uit ervaring blijkt dat de meeste kinderen weer voor de rijmpjes kiezen. Dit blijft blijkbaar beter in hun geheugen hangen. Het doorbreekt natuurlijk ook de voorgaande strategieën van de delingen.

Delen door 3 en 4

Voor deze delingen is geen effectief hulpmiddel gevonden. Het is dus voor ouders, leerkrachten en therapeuten een uitdaging om hier toch iets voor te vinden.

Misschien past het hier wel om een algemene tip te geven aan kinderen. Wanneer het getal eindigt op een 5 of 0, is de uitkomst altijd 5 of 10, bijvoorbeeld:

$20: 4 = 5, 35: 7 = 5, 15:3 = 5, 40: 4 = 10\ldots$

Dit kan af en toe een hulp zijn. Zeker bij delingen waarbij het trucje maar voor een gedeelte geldt.

Ik reken fout

Besluit

De hulpmiddelen bij de delingen zijn niet zo gevarieerd als bij de tafels. Toch was het nodig om ook voor deze moeilijkheid iets te vinden dat het automatiseren zou vergemakkelijken. Uit de praktijk is gebleken dat deze hulpmiddelen werken en dat kinderen blij zijn als die 'stomme delingen' eindelijk iets sneller gaan.

Als ouder, leerkracht en therapeut moet je er wel voor zorgen dat eerst de tafels volledig geautomatiseerd zijn. Anders loop je het risico dat de hulpmiddelen door elkaar worden gegooid. Wanneer twee deeltafels zijn aangeleerd, is het belangrijk dat die ook gemengd worden geoefend. En zo verder wanneer er een volgende bij komt.

Kinderen met een automatisatieprobleem, dat zowel bij kinderen met een rekenstoornis als bij kinderen met dyslexie voorkomt, hebben baat bij deze hulpmiddelen. De praktijk heeft dit duidelijk bewezen!

En nu maar oefenen...

10:2	5:5	6:2	10:10	8:2
40:5	5:5	18:2	9:9	7:1
30:5	40:10	12:2	3:1	16:2
50:5	50:10	8:8	8:1	70:10
25:5	6:2	15:5	10:1	5:1
30:10	20:5	60:10	14:2	4:2
1:1	2:1	80:10	45:5	50:5
10:2	20:2	20:10	35:5	15:5

Voer uit! Wanneer je de oefening juist maakt, mag je een kruisje zetten
bij het lachende mannetje, anders bij het droevige.

	😀	😞
54 : 9 =		
81 : 9 =		
27 : 9 =		
36 : 9 =		
72 : 9 =		
63 : 9 =		
18 : 9 =		
9 : 9 =		
90 : 9 =		
45 : 9 =		
27 : 9 =		
18 : 9 =		
72 : 9 =		
90 : 9 =		
36 : 9 =		

Delen: het omgekeerde van de tafels?

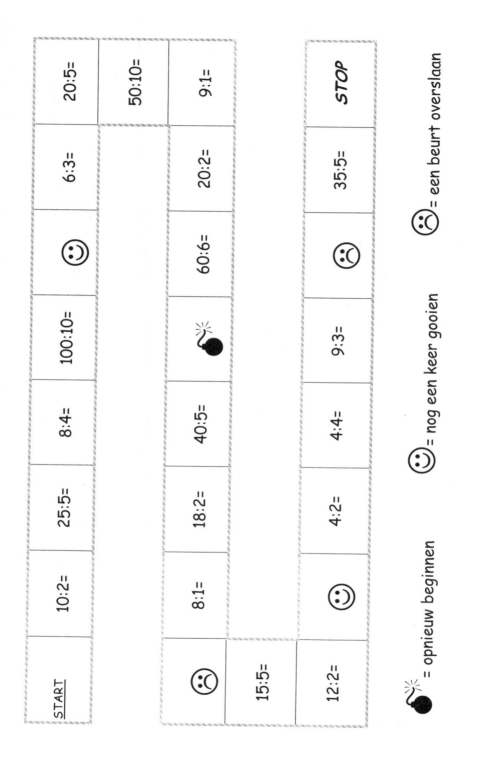

START

10:2=

25:5=

8:4=

100:10=

:)

6:3=

20:5=

50:10=

9:1=

20:2=

60:6=

💣

40:5=

18:2=

8:1=

:(

15:5=

12:2=

:)

4:2=

4:4=

9:3=

35:5=

:(

STOP

💣 = opnieuw beginnen

:) = nog een keer gooien

:(= een beurt overslaan

Ik reken fout

Voer uit! Wanneer je de oefening juist maakt, mag je een kruisje zetten bij het lachende mannetje, anders bij het droevige.

	😊	😞
64 : 8 =		
32 : 8 =		
24 : 8 =		
16 : 8 =		
72 : 8 =		
80 : 8 =		
8 : 8 =		
40 : 8 =		
48 : 8 =		
64 : 8 =		
56 : 8 =		
16 : 8 =		
24 : 8 =		
32 : 8 =		
80 : 8 =		

Delen: het omgekeerde van de tafels?

Voer uit! Wanneer je de oefening juist maakt, mag je een kruisje zetten bij het lachende mannetje, anders bij het droevige.

	😊	☹
48 : 6 =		
24 : 6 =		
12 : 6 =		
42 : 6 =		
6 : 6 =		
30 : 6 =		
18 : 6 =		
60 : 6 =		
54 : 6 =		
36 : 6 =		
12 : 6 =		
24 : 6 =		
48 : 6 =		
54 : 6 =		
18 : 6 =		

Ik reken fout

Voer uit! Wanneer je de oefening juist maakt, mag je een kruisje zetten bij het lachende mannetje, anders bij het droevige.

	😊	😞
$7 : 7 =$		
$56 : 7 =$		
$14 : 7 =$		
$49 : 7 =$		
$42 : 7 =$		
$28 : 7 =$		
$70 : 7 =$		
$35 : 7 =$		
$21 : 7 =$		
$63 : 7 =$		
$49 : 7 =$		
$28 : 7 =$		
$70 : 7 =$		
$35 : 7 =$		
$56 : 7 =$		

Delen: het omgekeerde van de tafels?

Voer uit! Wanneer je de oefening juist maakt, mag je een kruisje zetten bij het lachende mannetje, anders bij het droevige.

	😊	😟
$40 : 8 =$		
$36 : 6 =$		
$42 : 7 =$		
$64 : 8 =$		
$18 : 6 =$		
$48 : 8 =$		
$24 : 6 =$		
$49 : 7 =$		
$56 : 7 =$		
$32 : 8 =$		
$21 : 7 =$		
$24 : 8 =$		
$48 : 6 =$		
$28 : 7 =$		
$35 : 7 =$		

Ik reken fout

Verbind de oefeningen met de juiste uitkomst. Sommige uitkomsten mogen vaker gebruikt worden.

20:5
36:6
14:2
49:7
46:6
21:7
40:8
18:3
54:6
81:9
9:9
60:6
18:9
27:9
24:3

1
2
3
4
5
6
7
8
9
10

Je krijgt 1 minuut de tijd om deze oefeningen op te lossen.
Duid in de grijze vakjes aan tot waar je bent geraakt.

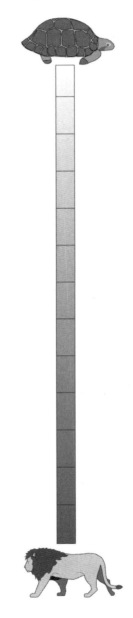

$64 : 8 =$
$36 : 9 =$
$28 : 4 =$
$12 : 3 =$
$16 : 4 =$
$63 : 7 =$
$40 : 5 =$
$25 : 5 =$
$32 : 8 =$
$21 : 7 =$
$10 : 2 =$
$42 : 6 =$
$56 : 7 =$

Ik reken fout

40:5	64:8	72:9	16:4	25:5
36:6	49:7	24:3	28:4	18:3
42:6	72:8	56:8	32:4	36:4
81:9	21:3	21:7	30:6	48:6
42:7	12:4	24:6	25:5	90:9
30:5	20:4	28:7	14:7	24:3
45:9	72:9	35:5	45:5	48:8
18:3	42:6	63:7	35:7	15:3

Derde tot zesde leerjaar /

Groep 5 tot 8

9. Getalstructuur boven 100

Aan het einde van het tweede leerjaar/groep 4 wordt verondersteld dat de getallen en de bewerkingen tot 100 gekend zijn, zodat in het derde leerjaar/groep 5 de getallen tot 1000 en daarna tot 1000000 aan bod kunnen komen.

Schrijven en lezen van getallen groter dan 1000
In therapie merk je geregeld dat kinderen moeite hebben om grote getallen te lezen en te schrijven. De getalstructuur is voor hen niet duidelijk. En vergelijkbaar met de getallen tot 100 zie je dan later ook veel problemen met het optellen en aftrekken bij deze getallen.
Met een beetje structuur kun je problemen met het lezen en schrijven van deze getallen snel verhelpen.

1. Allereerst moeten ze de getallen onderverdelen in groepjes van 3 en steeds vanachter beginnen:
   1642   wordt   1 642
   258416   wordt   258 416
   1571396   wordt   1 571 396
   Wanneer je afwisselend de linkerkolom en de rechterkolom leest, merk je dat de rechterkolom veel gemakkelijker leest. Dit is ook logisch: de structuur verplicht je om in duizend- of miljoentallen te denken.
   Om deze structuur te bevorderen, kan zowel thuis en op school als in therapie het best worden gewerkt met ruitjespapier. Voor 'slordige vogels' kan het ook helpen om een punt te zetten tussen de groepjes.

   > Bij rekenoefeningen is het om veel redenen ideaal om te werken op ruitjespapier.

2. In de tweede stap leert men om de structuur te benoemen. Elk groepje van 3 leest men gewoon alsof er geen andere cijfers meer staan, maar men voegt er telkens het woord 'duizend' of 'miljoen' aan toe. Concreet betekent dit het volgende:

vijf | vierhonderd zesentwintig

$5426 = 5\ 426 =$ ⠀⠀5 ⠀|⠀426

Dus het getal is vijf **duizend** vierhonderd zesentwintig.

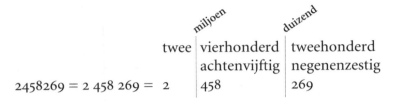

twee | vierhonderd | tweehonderd
⠀⠀⠀⠀ | achtenvijftig | negenenzestig
$2458269 = 2\ 458\ 269 =$ ⠀2 ⠀|⠀458 ⠀|⠀269

Dus het getal is twee **miljoen** vierhonderd achtenvijftig **duizend** tweehonderd negenenzestig.

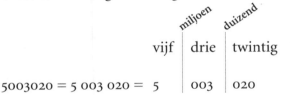

vijf | drie | twintig

$5003020 = 5\ 003\ 020 =$ ⠀5 ⠀|⠀003 ⠀|⠀020

Dus het getal is vijf **miljoen** drie **duizend** twintig.

Het komt er dus op neer dat kinderen hun getallen in groepjes splitsen zodanig dat er in elk groepje geen groter getal kan staan dan 999. Daarna voegen ze óf het woord 'duizend' toe óf het woord 'miljoen'. Op deze manier wordt de structuur sterk vereenvoudigd en is er minder kans op fouten.

Bewerkingen met getallen groter dan 100
Vanwege hun beperkter geheugen is het voor sommige kinderen niet gemakkelijk om de verschillende tussenstappen te onthouden bij optellen en aftrekken uit het hoofd. Sommige kinderen slagen er ook gewoon niet in om de verschillende rekenstrategieën uit het hoofd te leren. Andere kinderen vinden het moeilijk om te weten welk cijfer ze bij welk cijfer moeten optellen of aftrekken, vooral als er nullen in een getal voorkomen. Bijvoorbeeld: 405 + 396.

⠀⠀⠀⠀⠀⠀⠀⠀⠀⠀⠀⠀⠀⠀⠀⠀⠀*Ik reken fout*

In therapie kun je systematisch de moeilijkheidsgraad verhogen:
- Oefeningen zonder brugovergang met de volgende getalstructuur:

  430 + 45   750 − 30
- Oefeningen zonder brugovergang met de volgende getalstructuur:

  250 + 436   560 − 230
- Oefeningen met brugovergang met de volgende getalstructuur:

  253 + 28   935 − 27
- Oefeningen met brugovergang met de volgende getalstructuur:

  645 + 238   455 − 237
- Oefeningen met dubbele brugovergang met de volgende getalstructuur:

  594 + 347   626 − 456

Deze onderverdeling is in de meeste handboeken voor rekenen terug te vinden. In therapie komt het er dus op aan om elke deelstap voldoende te oefenen en niet te snel de overgang te maken naar de volgende deelstap. De strategieën die gebruikt worden, komen in grote lijnen overeen met de strategieën die beschreven werden bij getallen onder 100.

Toch merken we dat sommige kinderen het hoofdrekenen met grotere getallen niet onder de knie krijgen. Het probleem is dat hun werktempo bij andere tests enorm wordt afgeremd. Een toets 'vraagstukken' wordt dan eerder beoordeeld op hoofdrekenen dan op het inzicht in het vraagstuk.

Daarom lijkt het mij goed om sommige kinderen al cijferend te laten hoofdrekenen. Hiermee wordt bedoeld dat het kind de werkwijze van cijferen overneemt maar de oefening niet onder elkaar zet (zie ook verder in dit hoofdstuk). Dit wordt niet altijd aanvaard door leerkrachten die stellen dat elk kind ook moet kunnen hoofdrekenen. Maar een kind dat zelf al veel inspanningen heeft geleverd op het gebied van hoofdrekenen en met wie zowel ouders als leerkrachten vruchteloos hebben geoefend, ontwikkelt alleen maar frustraties en een laag zelfbeeld omdat het weer bevestigd wordt in het idee dat het niet kan rekenen.

Hoofdrekenen wordt vooral geoefend in de laagste klassen van de lagere school, daarna mag er vaak met een rekenmachine gewerkt worden. Ook in het middelbaar onderwijs ligt de nadruk meer op rekeninzicht dan op louter hoofdrekenen. Daarom krijgen kinderen met een rekenprobleem geen extra problemen als ze op papier leren optellen en aftrekken.

In de lerarenkamer wordt er gepraat over de overgang naar de euro. De meeste leerkrachten vertellen dat ze toch wel problemen hebben met de prijs van bepaalde producten. De meesten rekenen om naar oorspronkelijke munteenheid. Juffrouw Ria vertelt dat ze daarom steeds een rekenmachientje meeneemt als ze gaat winkelen.

In dit voorbeeld wordt duidelijk dat ook volwassenen zich vaak op hulpmiddelen beroepen wanneer er iets uit het hoofd moet worden uitgerekend. Doe bij jezelf de proef: ken je je tafels nog snel uit het hoofd? Als er een factuur of nota wordt nagekeken, gebeurt dit uit het hoofd, op papier of met een rekenmachine? Wanneer op school het zwemgeld van alle kinderen moet worden opgeteld, gebeurt dit dan uit het hoofd of niet?

Je zult merken dat in onze maatschappij nog weinig uit het hoofd gerekend wordt. Waarom moeten we dan kinderen met een ernstig rekenprobleem lastig blijven vallen met dit onderdeel?

Liene heeft grote rekenproblemen en de andere kinderen van de klas weten dit. Bij hoofdrekenen is ze altijd als laatste klaar en dan haalt ze nog maar het minimum. Haar zelfvertrouwen is ze helemaal kwijt. Als ik haar een paar oefeningen uit het hoofd laat maken, vergeet ze tussenstappen en vertelt ze voortdurend dat ze dit 'echt niet kan'. De wanhoop is in haar ogen te lezen.
Uiteindelijk leer ik haar om op papier de oefeningen op te lossen. Haar gezichtje klaart na een half uur op. In de volgende therapiesessie verklaart ze opgewekt dat dit een ongelooflijk goede truc was, want de kinderen van de klas hadden raar opgekeken toen ze met de eerste helft van de klas klaar was.

Hoe pakken we dit nu aan?

Om de oefeningen op papier op te lossen is het wel noodzakelijk dat het kind snel kan optellen en aftrekken tot 20. Ook hier is het belangrijk dat je systematisch te werk gaat in de opbouw van getalstructuur. De volgorde is hetzelfde als hierboven weergegeven. Wel moet het kind steeds met de laatste cijfers beginnen. Ook kan het best vanaf het begin aangeleerd worden dat je uitgaat van het eerste getal. Vooral bij de aftrekkingen is de volgorde van de bewerkingen belangrijk. Bijvoorbeeld: 74 – 56.

Ik reken fout

Veel kinderen doen 6 – 4 in plaats van 4 – 6.
Wanneer het kind deze aandachtspunten in acht neemt, kan het oefenen beginnen.

$$365 + 124 = \;.\;.\;.$$

$$5 + 4 = 9$$
$$6 + 2 = 8$$
$$3 + 1 = 4$$

De uitkomst is dus **489**.

$$278 + 399 = \ldots$$

8 + 9 = 17	ik schrijf de 7 en onthoud de 1
7 + 9 = 16	16 + 1 van daarnet = 17, ik schrijf de 7 en onthoud de 1
2 + 3 = 5	5 + 1 van daarnet is dus **6**

De uitkomst is dus **677**.

$$586 - 433 = \ldots$$

$$6 - 3 = 3$$
$$8 - 3 = 5$$
$$5 - 4 = 1$$

De uitkomst is dus **153**.

$$534 - 265 = \ldots$$

Hier is het oppassen geblazen! De volgorde van de bewerkingen speelt hier een grote rol. Vaak zie je kinderen hier falen. Wanneer vanaf het begin wordt aangeleerd dat ze steeds uitgaan van de cijfers van het eerste getal, is dit al een beetje ingesleten voordat ze met deze moeilijke oefeningen starten.

4 – 5 =	gaat niet, dus we lenen bij de 3
	we hebben nu 14 – 5 = **9**

$2(3) - 6 =$ gaat ook niet, dus we lenen bij de 5
we hebben nu $12 - 6 = 6$

$4(5) - 2 =$ **2**

De uitkomst is dus **269**. De getallen tussen haakjes zijn de oorspron-kelijke getallen, maar doordat er geleend werd, zijn ze verminderd met één eenheid.

Bij deze laatste soort oefeningen komt er opnieuw iets meer geheugen-werk kijken. Deze vragen in het begin dan ook meer tijd. Uit ervaring blijkt wel dat deze manier van werken met een beetje oefening snel wordt verworven.
Soms helpt het ook om een stip te zetten boven het cijfer waar geleend werd. Zo wordt het visueel duidelijk dat men rekening moet houden met het lenen.

$$\overset{\bullet}{5}\,\overset{\bullet}{3}\,4 - 2\,6\,5 = 2\,6\,9$$

Besluit

Tellen tot 100, tot 1000 of nog meer lukt voor de meeste kinderen wel. Maar oefeningen doen of de getallen opschrijven vraagt iets meer. We zien dat sommige kinderen nooit vlotte hoofdrekenaars zullen worden omdat het te veel van hun geheugen vraagt of omdat ze de strategieën niet onder de knie krijgen. Een oplossing kan zijn om het op papier te doen (al cijferend) of een rekenmachine te gebruiken.

Voor het lezen of schrijven van grote getallen kan het helpen om de getallen onder te verdelen in groepjes van 3 of een stip te zetten tussen deze groepjes. Op deze manier hoeven de kinderen alleen maar getallen te kunnen lezen tot 999. De structuur wordt hierdoor enorm vereen-voudigd.

Ik reken fout

En nu maar oefenen…

1250611
1000510
16460410
1025010
2506
102610
1002640
4897123
8008001
18910940

	... in cijfers...		
Drieduizend vijfhonderd en drie			
Twintigduizend zevenhonderd vijfentwintig			
Vier miljoen zestigduizend			
Vijftig miljoen negenhonderd en vijf			
Tweehonderd vijftig duizend zevenhonderd vijftig			
Vierhonderd dertig duizend driehonderd			
Negen miljoen honderd en vijf			
Tachtigduizend negenhonderd vierenzestig			
Tienduizend vierhonderd			
Twintig miljoen achthonderd en vijfduizend			

Ik reken fout

Getallendictee: iemand dicteert cijfers en jij schrijft ze op.
Denk aan de groepjes van 3!

			😊	😟

Getalstructuur boven 100

10. Met twee maten meten...

Maten en gewichten... kilometer, decimeter, liter, centiliter, kilogram, vierkante millimeter... Voor veel kinderen zijn dit inhoudsloze begrippen.

> *Gert-Jan krijgt een proefwerk over metend rekenen. Hij heeft geleerd over kilometer, meter, centimeter... Bij het proefwerk stelt de meester de vraag: 'Hoe groot is het schoolbord? 3 meter of 3 kilometer? Gert-Jan twijfelt, maar schrijft toch kilometer.*

Ouders en leerkrachten zien dit vaak gebeuren: kinderen die totaal geen idee hebben van de grootte of zwaarte van iets. Kinderen die niet weten of de speelplaats uitgedrukt wordt in vierkante meters of in vierkante kilometers en die twijfelen of er 1 liter of 1 deciliter in een pak melk kan...

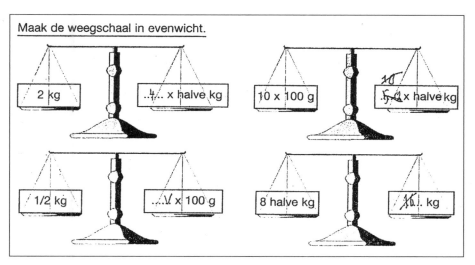

Ook voor deze problematiek bestaan er hulpmiddelen. Op de volgende bladzijden wordt hier verder op ingegaan. Belangrijk is dat deze hulpmiddelen ook in de klas gebruikt mogen worden.

De tabel

Hoewel dit een erg ruimtelijk hulpmiddel is, geeft het toch structuur. Met de tabel wordt bedoeld dat de verschillende maten of gewichten volgens grootte gerangschikt worden in de tabel. Die ziet er als volgt uit:

km	(hm)	(dam)	m	dm	cm	mm

De lengtematen kunnen ook vervangen worden door gewichtsmaten (kilogram) of inhoudsmaten (liter).

Om met deze tabel zinvol te leren werken, moeten kinderen een aantal vuistregels uit het hoofd leren:
1. Voor elke oefening wordt de tabel gebruikt.
2. Voor men de cijfers invult, legt men zijn hand op de plaats van de maat: tot hier mag men komen.
3. De hand komt overeen met de komma.

Deze vuistregels worden aangeleerd met behulp van oefeningen. Je neemt ruitjespapier en maakt een kolom voordat je begint. Je schrijft de verschillende maten erboven. Nu kun je beginnen aan de volgende oefeningen.

1. Oefeningen zonder komma:
   a) 25 m =... mm
   b) 36 l =... dl

					= hand (oef. a)		
km kg	hm	dam dal	m g l	dm dg dl	cm cg cl	mm mg ml
		2	5	0	0	0

Ik reken fout

Oefening a) er staat 25 **m**, dit betekent dat we onze hand achter **m** leggen (stippellijn). Er mag niets voorbij de hand geschreven worden. Dit betekent dat de 5 in het vakje van meter moet staan en de 2 in het vakje van dam.
Er wordt nu gevraagd hoeveel mm dit is. We houden onze hand bij mm (stippel-streepjeslijn) en vullen nu vérder aan met nullen. De uitkomst is 25 000 mm.

Oefening b) er staat 36 l, dit betekent dat we onze hand achter l leggen. Er mag niets voorbij liter geschreven worden, dus belandt de 3 bij dal en de 6 in het vakje van liter. Er wordt nu gevraagd hoeveel dl dit is, dus leggen we onze hand achter dl en vullen aan met een 0. Het antwoordt van oefening b is dus 360 dl.

2. Oefeningen met komma (maar niet in de opgave):
c) 250 ml =... l
d) 30 dg =... g

				= hand (oef. a)		
km kg	hm	dam dal	m g l	dm dg dl	cm cg cl	mm mg ml
			0	2	5	0

Oefening c) 250 **ml**, we leggen dus onze hand achter **ml** en vullen 250 in (stippellijn). De 0 komt in het vakje van ml, de 5 in het vakje van cl en 2 in het vakje van dl. Er wordt nu gevraagd hoeveel liter dit is. We leggen onze hand dus achter l en vullen opnieuw aan met nullen (stippel-streepjeslijn). We hadden van tevoren afgesproken dat onze hand overeenkwam met de komma. Op de plaats van onze hand zetten we dus een komma. De uitkomst is 0,250 l.

Oefening d) 30 **dg**: we leggen onze hand achter **dg** en vullen weer in. Opgelet: niet verder dan dg! De 0 staat bij decigram en de 3 bij gram. Om nu te weten hoeveel gram dit is, leggen we onze hand achter gram. Hand komt overeen met komma, dus zetten we onze komma achter de 3. Nu mogen we aflezen. De uitkomst is 3,0 g of 3 g.

3. Oefeningen met komma in de opgave (we gebruiken de voorgaande tabellen):
e) 25,63 m =… cm
f) 3,9 cl=… l

Oefening e) 25,63 **m**: we leggen de hand bij **m** en weten dat onze hand en de komma overeenkomen. Dus alles wat voor de komma staat, staat ook voor onze hand en de rest erachter. Dat betekent dat 2 in het vakje van dam en 5 in het vakje van m staat. De 6 staat bij dm en 3 bij cm.
Er wordt nu gevraagd hoeveel cm dit is. We leggen opnieuw onze hand achter cm en zien dat we niets moeten aanvullen. We mogen eventueel een komma plaatsen ter hoogte van onze hand maar dat is nu niet echt nodig. De uitkomst is 2563 cm.

Oefening f) 3,9 **cl**: we leggen de hand op **cl** en weten dat hand en komma gelijk zijn. Dus 3 staat in het vakje van cl en 9 in ml. Hoeveel liter is dit? We leggen onze hand achter liter en vullen aan met nullen. Op de plaats van onze hand zetten we nu de nieuwe komma. Het antwoord is 0,039 l.

Door steeds dezelfde bewoordingen te gebruiken en dezelfde handelingen te doen, ontstaat er een gemakkelijk te onthouden patroon. De oefeningen staan hier uitgebreid uitgelegd, maar de bedoeling is natuurlijk dat ze sterk worden ingekort. Uiteindelijk moet het kind na een tijdje alleen zijn hand neerleggen en opschuiven in de juiste richting zonder de volledige uitleg te doen. Het blijft wel belangrijk dat het kind een tabel in de buurt heeft.

Ik reken fout

Bij de eerste oefeningen (a en b) merken we wel dat we onze hand neerleggen om de opgave in de tabel in te vullen. Hier schrijven we echter geen komma omdat het weinig zin heeft. Er werd voor gekozen om de vuistregel 'komma is gelijk aan hand' niet te veranderen voor deze oefeningen, omdat het anders te verwarrend zou zijn.

Leuk alternatief

Om kinderen extra te motiveren (en niet alleen kinderen met een rekenprobleem) kan er ook voor worden gekozen om een tabel op een sigarenkistje aan te brengen. Men doet een elastiekje om het doosje en hangt er een kraal in. Op deze manier kan de kraal dienstdoen als hand en kan het van de ene kant opgeschoven worden naar de andere kant. Schematisch ziet dit er als volgt uit.

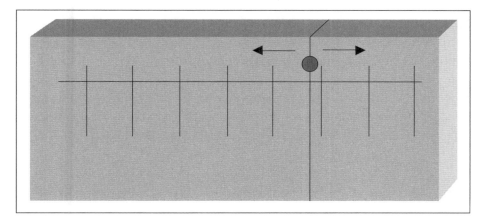

Hoewel de kommagetallen niets te maken hebben met metend rekenen, horen ze toch in dit hoofdstuk thuis. Op dezelfde manier als er gewerkt wordt met de tabel om de eenheidsmaten te structureren, kan er ook met een klein tabelletje gewerkt worden om inzicht te krijgen in de getalstructuur. Alleen is er hier een vaste plaats voor de komma.

HT	TD	D	H	T	E	,	t	h	d

Soms zeggen kinderen ook dat ze er moeite mee hebben om de eenheden achter de komma te onthouden. Ze vergissen zich in de volgorde. Een klein trucje kan helpen: maak er een paar woorden mee en het blijft gemakkelijker in het geheugen hangen. Voorbeeld: 'thee drinken'.

Besluit

Sigarenkistjes, tabellen op papier... het maakt niet uit. Wat wel uitmaakt, is de systematische opbouw en de steeds weerkerende handelingen en bewoordingen. Hoewel dit een ruimtelijk hulpmiddel is, lijkt het mij de enige oplossing om kinderen die problemen hebben met maten en gewichten een beetje structuur te bieden. Ook voor kommagetallen blijkt dit te gelden. In de praktijk is ook gebleken dat dit werkt – op voorwaarde dat de drie vuistregels in acht genomen worden voor het maken van oefeningen over maten en gewichten.

Het blijft belangrijk dat deze tabel visueel is. Een kartonnetje op de tafel, de tabel ophangen in de klas, een sigarenkistje op de tafel... Kinderen met een rekenprobleem zullen leerkrachten hier dankbaar voor zijn.

Ik reken fout

En nu maar oefenen…

Plastificeer deze tabel! Met een uitwisbare stift kan deze tabel telkens opnieuw gebruikt worden om alle oefeningen thuis en in de klas te maken.

km	…	…	m	dm	cm	mm

Voer uit! Wanneer je de oefening juist maakt, mag je een kruisje zetten bij het lachende mannetje anders bij het droevige.

	☺	☹
3dm =… cm		
5km =… m		
27 cm =… mm		
96 dm =… mm		
8 km =… dm		
63 m =… dm		
56 cm =… mm		
2 km =… cm		
48 m =… mm		
6 dm =… mm		
56 dm =… cm		
12 km =… m		
45 mm =… mm		
5 m =…dm		
6 km =… mm		

Ik reken fout

Is het antwoord juist of fout? Zet een kruisje in het vakje

	juist ☺	fout ☹
25 m= 2.5 dm		
630 km= 6300 m		
4.5 dm= 450 mm		
5.3 m= 0.0053 km		
4.8 cm= 480 mm		
900 m= 0.9 km		
56 cm= 56 dm		
30 cm= 300 mm		
29 km= 2900 m		
0.8 m= 80 dm		
25m = 250 dm		
12500 km= 1.25 m		

Met twee maten meten…

Verbind de vakjes met dezelfde waarde!

0.3 m	5700 m
0.89 dm	30 mm
3 cm	890 cm
570 m	5700 dm
89 m	0.3 m
0.003 m	3 dm
57 km	5.7 cm
890 m	0.057m
5.7 km	890 dm
570 m	89 mm
30 cm	57000 m
890 cm	0.89 km
0.057 m	0.57 km
8.9 m	89 dm
57 mm	3 mm

Ik reken fout

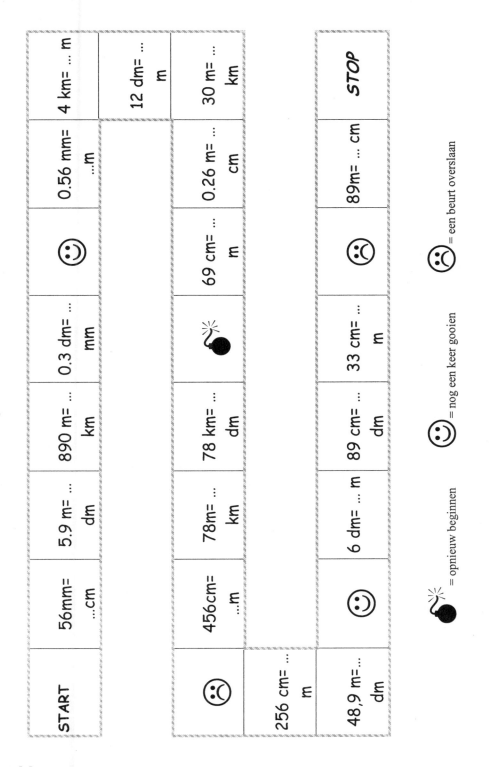

START

56mm= ...cm

5.9 m= ... dm

890 m= ... km

0.3 dm= ... mm

☺

0.56 mm= ...m

4 km= ... m

12 dm= ... m

30 m= ... km

0.26 m= ... cm

69 cm= ... m

💣

78 km= ... dm

78m= ... km

456cm= ...m

☹

256 cm= ... m

48,9 m=... dm

6 dm= ... m

89 cm= ... dm

33 cm= ... m

89 cm= ... m

☹

89m= ... cm

STOP

💣 = opnieuw beginnen

☺ = nog een keer gooien

☹ = een beurt overslaan

11. Klokkijken: kwart over of kwart voor?

Kinderen met ruimtelijke problemen hebben ongetwijfeld problemen met klokkijken. Alle ruimtelijke begrippen worden hier gecombineerd. In het voorbeeld wordt dit wel duidelijk. Sommige kinderen lossen het voor een gedeelte op met een digitaal horloge, anderen zijn nog slimmer in het vermijden van hun probleem en dragen géén horloge. Zij vragen de juiste tijd wel aan iemand.

In een eerder hoofdstuk kwamen de typische problemen al aan bod. Toch herhalen we ze even om een duidelijk beeld te krijgen van de moeilijkheid van klokkijken:
- de grote en kleine wijzer verwisselen;
- draairichting van de wijzer;
- wanneer is het over en wanneer is het voor (bijvoorbeeld: het is kwart over 5 maar vijf minuten later is het 10 voor half 6);
- digitale notering verloopt weer anders;
- het onderscheid tussen ochtend en middag bij digitale notering;
- aantal minuten wordt foutief geteld;
- soms wordt zelfs één kant van de klok niet bekeken.

In het voorbeeld van Eline zie je dat ze zich bij de eerste oefening vergist heeft tussen de grote en de kleine wijzer, bij de tweede oefening de begrippen 'voor' en 'over' verwisseld heeft en bij de laatste oefening niet goed wist of de kleine wijzer naar de 11 of naar de 12 wees: 'Moet ik verder kijken of moet ik kijken waar de kleine wijzer vandaan komt?'

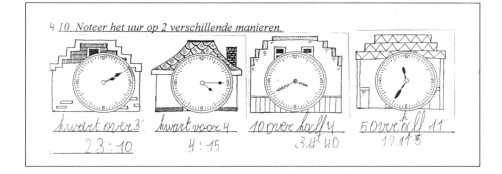

4 10. Noteer het uur op 2 verschillende manieren.

kwart over 3   kwart voor 4   10 over half 4   5 over al 11
23 : 10   4 : 15   3.4 : 40   17.11.5

In de aanpak van deze problematiek komt het er weer op aan om zoveel mogelijk deelstappen te creëren zodat het kind minder kans heeft om te falen.

Allereerst moet er een onderscheid gemaakt worden tussen de klassieke klok en de digitale klok.

KLASSIEKE KLOK

1. Richting van de wijzers

Wanneer het kind leert klokkijken op de klassieke klok, dan is het belangrijk dat het weet in welke richting de wijzers ronddraaien. Wanneer het kind hier problemen mee heeft, kun je een hoepel op de grond leggen en een bankje zetten ter hoogte van de 6 en de 12. Je laat het kind in de juiste richting lopen en telkens wanneer het bij een bankje komt, moet het erover springen en ook 'over' zeggen. Deze leuk motorische activiteit zorgt ervoor dat het kind de richting van de wijzers leert en tegelijkertijd ook het principe van 'over' het uur of halfuur ervaart.

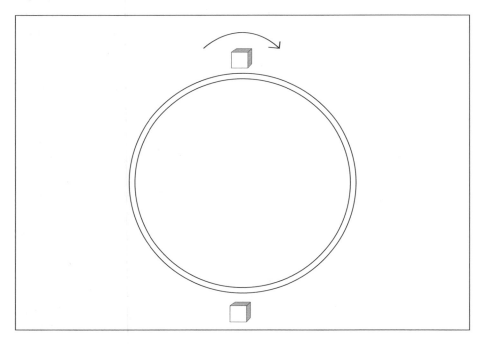

Om duidelijk te maken dat de kleine wijzer het uur aanduidt en de grote wijzer de minuten, kun je een kort verhaaltje vertellen.

Stel dat wij (= ouder en kind of therapeut/leerkacht en kind) samen naar jouw huis zouden stappen. Wie denk je dat er het eerst aan jouw huis zou staan? Waarom?

De 'volwassene' heeft lange benen (lange wijzer) en doet er dus maar enkele minuutjes over om die afstand af te leggen.
Het kind heeft maar korte beentjes (korte wijzer) en doet er dus uren over.

Dus: lange wijzer loopt maar minuten
korte wijzer loopt uren

2. Heel en halfuur

Een volgende stap bestaat uit het aanleren van de hele en de halve uren. Het kind moet eerst begrijpen dat de kleine wijzer het uur aanwijst en dat de grote wijzer aangeeft of het een heel uur is of dat we halverwege zijn. Wanneer kinderen er moeite mee hebben om dit te onthouden, kan men op een speelgoedklok ter hoogte van de 6 een papiertje plakken met 'half' erop. Dit geheugensteuntje kan ook toegepast worden op een kartonnetje waarop een klok is getekend. Zo'n kartonnetje kan dan gemakkelijk meegenomen worden naar school.

3. Kwart over, kwart voor

Met dit kartonnetje kan ook gemakkelijk 'kwart over' en 'kwart voor' uitgelegd worden. Het springen over het balkje was immers voor deze fase bedoeld.
Wanneer het benoemen van de uren, de halve uren en de kwartieren vlot verloopt, kan gestart worden met de minuten.

4. Minuten

Nu wordt het moeilijk, zeker wanneer je een richtingsprobleem hebt. Want in plaats van 20 over 10 zeg je nu 10 voor halfelf. Concreet betekent dit dat je vóór het eerste kwartier steeds 'over' zegt, daarna 'voor', en na het halve uur weer switcht naar 'over' en 'voor'.

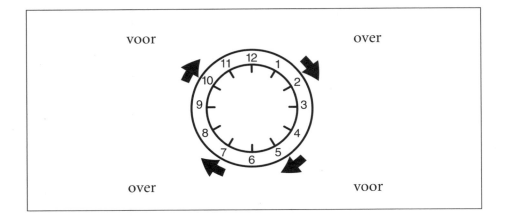

voor over

over voor

Het kan helpen om ook deze termen toe te voegen aan het kaartje, zodat het kind in de klas of bij het maken van huiswerk even kan kijken. Dit geeft een houvast, waardoor het maken van deze oefeningen geen onoverkoombaar probleem meer is.

Het tellen van de minuten op zich valt meestal wel mee, als tenminste gekeken wordt naar de stand van de grote wijzer. Voor sommigen kan het toch een hulp zijn om de onderverdeling in minuten toe te voegen aan het kartonnetje.

Ook moet het kind in het oog houden dat het steeds kijkt naar welk uur de kleine wijzer wijst. Alleen bij het eerste kwartier is dit omgekeerd. In onderstaande voorbeelden wordt dit duidelijk.

5.10

10 minuten over...
Kinderen vragen zich af of ze 'over 5' of 'over 6' moeten zeggen maar in het eerste kwartier moeten ze kijken waar de kleine wijzer vandaan komt: dus 'over 5'.

2.20

10 minuten voor...
Hier geldt dus het tegenovergestelde: we kijken naar de plaats waar de kleine wijzer naartoe gaat. Dus: 10 voor half 3.

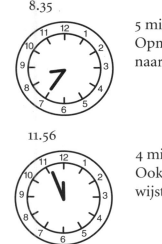

8.35

5 minuten over half…
Opnieuw kijken we waar de kleine wijzer naartoe gaat. Dus: 5 minuten over half 9.

11.56

4 minuten voor…
Ook hier: kijken waar de kleine wijzer naar wijst.

Wanneer we deze voorbeelden bekijken, merken we pas echt hoe ingewikkeld het klokkijken kan zijn voor iemand met een richtingsprobleem. Het is dus van groot belang dat er structuur wordt gebracht in de manier van aanleren. Daarnaast is het noodzakelijk dat er hulpmiddeltjes worden gegeven. Dit kan dus door een kartonnetje met enkele termen erop mee te geven naar de klas.

Met deze moeilijkheden in het achterhoofd, is het te begrijpen dat sommige kinderen resoluut kiezen voor een digitaal horloge. Hier zit meer structuur in en dat is dus ook gemakkelijker aan te leren.

DIGITALE KLOK

1. Van digitale notering naar klassieke aanduiding
Bij de digitale notering komt de uuraanduiding overeen met de plaats van de kleine wijzer. Wanneer het 4.15 is of 4.36: steeds staat de wijzer op de 4 (of iets verder, maar dat laten we even buiten beschouwing). Dus er is hier een duidelijke overeenkomst. De minuten die achter de uuraanduiding staan, kunnen gemakkelijk op de klok geteld worden. In het begin is het belangrijk dat de onderverdeling in minuten dan ook getekend is.

2. De digitale tijd lezen
De gemakkelijkste oplossing is lezen zoals het er staat: 'negen uur vijftien' of 'twintig uur achtenvijftig'. De meeste kinderen kiezen dan ook

voor deze manier om de tijd mee te delen. Wanneer het op de juiste manier moet worden voorgelezen, krijg je dezelfde problemen als bij de klassieke klok:

4.15 = kwart over vier

4.25 = vijf voor half vijf

Dus hier zullen dezelfde hulpmiddelen moeten worden gebruikt. Het is vooral nodig bij oefeningen waarbij men van de digitale notering moet overgaan naar de klassieke aanduiding op de klok, bijvoorbeeld:

Verbind dezelfde tijdsaanduidingen

6.15	kwart voor vijf
4.45	half drie
2.30	kwart over zes
6.45	kwart voor zeven

Een extra moeilijkheid bij de digitale klok is de notering voor de ochtend en de middag. Het komt erop neer dat er bij de middag steeds 12 uur wordt bijgeteld.

Een voorbeeld maakt duidelijk dat deze noteringen voor velen Chinees zijn.

> *Mie wilde zelf een oefening maken. Ze wou het moeilijk maken en schreef: 'hoe lees je 38: 50?'*

Het is dus belangrijk dat kinderen weten dat er 24 uren zijn in 1 dag en dat vanaf de middag de 'grote getallen' beginnen. Vanaf de nacht beginnen de kleine getallen. Maak eventueel een kaartje en noteer ook de belangrijkste tijdsaanduidingen zoals kwartier, half uur…

VANAF MIDDAG :   12 : ..., 13 :..., 14 :...,   ….. 23 :..., 24 :...

VANAF NACHT : 00 :..., 01 :.., 02 :...,   … 12 :00

KWARTIER= 15 minuten
HALF UUR= 30 minuten
UUR= 60 minuten of … :00

Besluit

Bij kinderen met een ruimtelijk probleem zal het klokkijken niet probleemloos verlopen. Reden hiervoor is dat er veel ruimtelijke begrippen bij komen kijken: voor, na, over en ook de richting van de wijzers. Bovendien heb je een grote en een kleine wijzer waarin je je kunt vergissen en heb je een digitale klok en een klassieke klok, die op verschillende manieren worden gelezen.

Voor sommige kinderen blijft het ondanks veel oefenen een marteling en zij besluiten dan maar om geen horloge meer te dragen.

In de oefenbladen wordt toch een poging gedaan om klokkijken stap voor stap aan te leren.

En nu maar oefenen…

Zeg of de wijzer 'over' of 'voor' staat.
Denk aan je hulpmiddelen!

Teken de wijzers op de klok. Het uur dat je moet tekenen, staat ernaast in digitale vorm.

20:15	
9:45	
13:20	
15:50	
6:35	

Zoek de 2 vakjes die bij elkaar horen.

21:10	
7:40	
11:50	
19:25	
2:05	

12. Breken-breuken-gebroken

Het laatste item in de rij vormen de breuken. De fouten die hier vooral worden gemaakt, zijn het verwisselen van teller en noemer of het vergeten van de volgorde van de bewerkingen. 'Moet ik nu eerst delen of eerst vermenigvuldigen?' is een vaak gestelde vraag. Een kaartje met duidelijke regeltjes helpt kinderen ook hier verder.

Ondertussen kun je het idee krijgen dat het kind een aparte tafel of nieuw etui moet hebben om al zijn regeltjes op te plakken of in te stoppen. Toch is dit niet het geval en ook zeker niet gewenst.

> *Mira plakte steeds de regeltjes in haar etui. Ze had net de regels van de breuken geleerd en keek verwonderd naar mij op. 'Ik heb geen plaats meer, alles zit vol! Wat moet ik nu doen?' Ik vroeg haar of er misschien al stickertjes weg mochten. Enthousiast vertelde ze dat het stickertje van de tafels en delingen niet meer nodig was. Ze keek er niet meer naar want het ging nu vanzelf.*

Uit het voorbeeld van Mira blijkt ook dat de oude regeltjes of trucjes na een tijdje wel geautomatiseerd zijn. Trouwens, in de eerste hoofdstukken werd ook verteld dat kinderen met een leerstoornis traag automatiseren, maar dat het wel in orde komt. Dus na één jaar zullen er zeker wel stickertjes of kaartjes mogen verdwijnen.

1. Breuk nemen van een bepaald getal

Wanneer een kind visueel heeft geleerd wat het is om een 'gedeelte' van iets te nemen, kan het overgaan naar de oefeningen zonder taarten en figuren. Een eerste reeks oefeningen die dan wordt gemaakt, bestaat uit het nemen van een breuk van een bepaald getal. Men begint steeds met eenvoudige breuken waarbij de teller 1 is. Daarna komt de rest aan bod.

vbn.   Neem 1/5 van 25.
       Hoeveel is 3/4 van 16?
       5/7 van 28... 8/10 van 20 ($<,>$ =)

Wanneer de tafels en delingen gekend zijn, zorgen deze oefeningen niet zo vaak voor problemen. Sommigen twijfelen wel of ze bij de tweede oefening moeten delen door 4 of door 3. Om dit op te lossen kun je van de breukstreep een mes of bijl maken. Op deze manier weten de kinderen dat ze moeten delen door het onderste getal. Maak daarom een kaartje met onderstaande figuur of laat de kinderen zelf een mes tekenen voordat ze aan de oefeningen beginnen.

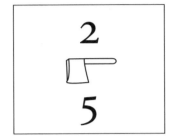

Er is ook nog een ander leuk trucje om te onthouden wat teller en wat noemer is:

Teller staat aan de Top
Noemer = Neer

2. Optellen en aftrekken van breuken

Een volgende stap in het programma vormt het optellen en aftrekken van breuken; dat is ook niet zo moeilijk als je een paar regels in je achterhoofd houdt:

1. noemers moeten gelijk zijn of anders moet je ze eerst gelijkmaken;
2. alleen de tellers optellen of aftrekken;
3. eventueel uitkomst vereenvoudigen.

5/9 + 3/9 =   geen probleem, noemers zijn hetzelfde dus je mag 5+3 doen. De uitkomst is dan 8/9.

2/3 + 4/6 =   noemers zijn niet gelijk, dus eerst gelijkmaken.

Ik reken fout

Gelijke noemers maken vraagt opnieuw extra aandacht. Het eenvoudigst is om aan te leren dat je de twee noemers met elkaar vermenigvuldigt en de tellers daarna aanpast. Soms is het niet nodig om de noemers met elkaar te vermenigvuldigen omdat je een kleinere gemeenschappelijke noemer hebt. Maar voor het kind is het het eenduidigst als je het aanleert om steeds de twee noemers te vermenigvuldigen. In ons voorbeeld gaat het dan als volgt:

$2/3 + 4/6=$ $3 \times 6 = 18$ (= gemeenschappelijke noemer)

        $2/3$ wordt dan aangepast naar $2 \times 6/3 \times 6 = 12/18$

        $4/6$ wordt dan aangepast naar $4 \times 3/6 \times 3 = 12/18$

        $12/18 + 12/18 = 24/18$

Bij deze uitkomst moet je stap 3 ook toepassen. De uitkomst kan verder vereenvoudigd worden naar $4/3$ omdat je zowel teller als noemer kunt delen door 6.

3. Vermenigvuldigen van breuken

Hier zijn zelden problemen mee. Je mag zowel tellers als noemers met elkaar vermenigvuldigen, bijvoorbeeld:

$5/8 \times 6/3 = 5 \times 6/8 \times 3 = 30/24 = 5/4$

De stap van gelijke noemers mag je hier overslaan. Maar het vereenvoudigen moet nog steeds gebeuren. Dat betekent dat je twee stappen moet onthouden:

---

1. teller x teller, noemer x noemer;
2. eventueel uitkomst vereenvoudigen.

---

4. Delen van breuken

Deze bewerking geeft meestal de meeste problemen. Het is dan ook belangrijk dat je als ouder, leerkracht of therapeut het kind geregeld de strategie laat verwoorden. Deze strategie gaat als volgt:

---

1. tweede breuk omdraaien;
2. bewerkingsteken verandert van : naar x;
3. uitvoeren zoals een vermenigvuldiging;
4. eventueel uitkomst vereenvoudigen.

Aan de hand van een voorbeeld verduidelijken we deze strategie:

5/7: 6/9=   1. we draaien de tweede breuk om, dit wordt dan 9/6
            2. we vermenigvuldigen in plaats van delen
            3. 5/7 x 9/6= 5 x 9/7 x 6 = 45/42
            4. we vereenvoudigen: 15/14

Deze strategie kan ook visueel worden voorgesteld. Wanneer men 2 breuken moet delen, maakt men een kruis tussen beide breuken. Aan de hand van het kruis weet men dan dat men moet vermenigvuldigen en de cijfers die met elkaar verbonden zijn door het kruis moet vermenigvuldigen. We nemen opnieuw bovenstaand voorbeeld:

$$\frac{5}{7} \quad : \quad \frac{6}{9}$$ 1. We vermenigvuldigen dus
                                            2. We doen 5 x 9 en 6 x 7

In de klas kan men bijvoorbeeld eerst de deeloefeningen eruit halen en een kruis laten tekenen. Zo zullen de snelle werkers zich niet vergissen en hebben de anderen een visueel hulpmiddel.

Opmerking: bij kinderen in het middelbaar onderwijs wordt er best nog een stap toegevoegd. Voor hen is het belangrijk dat men eerst de breuken gaat vereenvoudigen vooraleer men aan de oefening begint.
Bv. 4/16 + 7/12= 1/4 + 7/12...

Samenvattend zetten we de verschillende regeltjes nog eens op een rij. Op deze manier kunnen ze ook op een kaartje geschreven worden dat kinderen zowel thuis en in de klas als in therapie kunnen gebruiken.

	+ *en* -	*x*	:	
3 ⌐ 4	• noemers gelijk maken • enkel tellers op- tellen of aftrekken • vereenvoudigen	• teller x teller • noemer x noemer • vereenvoudigen	• 2de breuk omdraaien • x in plaats van: • uitvoeren zoals bij x • vereenvoudigen	• teken een groot maalteken • steeds bij 2 getallen x doen • vereenvoudigen

En nu maar oefenen…

Vul de uitkomst in. Onderaan in het vakje schrijf je de tijd die je nodig had om heel het vakje af te werken. Probeer je eigen record te verbreken!

$1/2 + 5/2 =$	$3/5 + 1/5 =$
$5/8 + 2/8 =$	$11/12 - 6/12 =$
$8/9 - 3/9 =$	$15/36 + 4/36 =$
$7/10 - 2/10 =$	$8/16 - 2/16 =$
$8/11 + 1/11$	$13/15 + 6/15 =$
$45/80 + 5/80 =$	$2/25 + 18/25 =$
$12/9 - 3/9 =$	$26/39 - 14/39 =$
$21/21 - 6/21 =$	$8/9 + 4/9 =$
$8/10 + 6/10 =$	$14/12 - 7/12 =$
$3/9 - 2/9 =$	$3/8 + 5/8 =$

Ik reken fout

Los de volgende oefeningen op. Schrijf eerst de tussenbewerking op.
Bij elke juiste oefening mag je een gezichtje inkleuren

	tussenstap	uitkomst
5/6 + 2/3=		
9/5 − 4/6=		
8/4 + 2/3=		
9/6 + 3/8=		
7/9 − 3/8=		
6/5 + 3/6=		
2/4 − 2/8=		
12/10 − 2/3=		
4/5 + 1/7=		
9/11 + 5/2=		

Probeer in 1 minuut elk vakje te maken. Als het lukt, mag je het prentje rechtsonder kleuren.

5/6 x 4/2=	2/8 x 6/9=
7/8 x 9/3=	3/11 x 6/5=
2/7 x 3/9=	4/2 x 6/5=
2/6 x 3/10=	1/9 x 6/3=
2/5 x 7/7=	5/10 x 2/8=
3/7 x 6/5=	8/4 x 6/2=
2/12 x 2/4=	4/9 x 2/5=
1/3 x 2/5=	10/10 x 15/15=
20/4 x 3/5=	4/6 x 2/3=
1/8 x 6/4=	1/15 x 2/3=

Ik reken fout

Los de volgende oefeningen op. Schrijf eerst de tussenbewerking op. Bij elke juiste oefening mag je een gezichtje inkleuren.

	tussenstap	uitkomst
4/5: 2/6=		
8/9: 8/6=		
4/3: 9/10=		
6/3: 9/6=		
4/8: 11/9=		
12/15: 3/5=		
1/9: 8/15=		
2/7: 4/9=		
3/20: 4/10=		
6/5: 4/3=		

☺ ☺ ☺ ☺ ☺ ☺ ☺ ☺ ☺ ☺

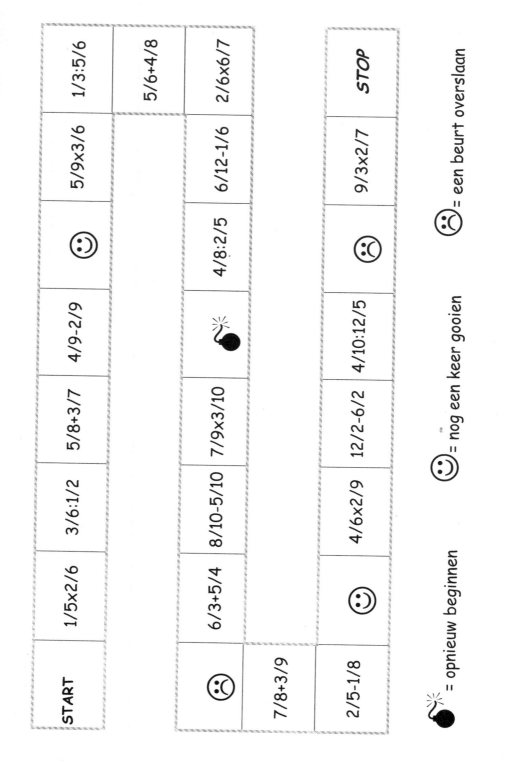

Ik reken fout

DEEL 3

En tot slot…

13. Tips voor in de klas en thuis

Remediëring helpt het kind enorm vooruit, maar toch is dit niet altijd voldoende. Zeker niet in de beginfase, wanneer het kind grote problemen heeft met rekenen en therapie nog niet ver genoeg is om het 'tij te keren'. Het komt er dus op neer het kind weer een positief zelfbeeld te geven, het weer zin te laten krijgen in een rekenles.
Maar voordat het zover is of komt, is het vaak noodzakelijk om een aantal compenserende maatregelen door te voeren, een aantal afspraken waardoor het kind het gevoel krijgt dat het begrepen wordt.

Zowel voor de huiswerk- als voor de klassituatie zijn er heel wat maatregelen en hulpmiddelen mogelijk. We beginnen met de klassituatie. Er wordt geen rekening gehouden met de leeftijd van het kind of het leerjaar/de groep waarin het zich nu bevindt. De bedoeling is dat ouders of leerkrachten de tips eruit halen die nodig zijn voor hun kind.
Belangrijk is ook te beseffen dat niet alle maatregelen tegelijk kunnen worden toegepast. Maak van tevoren een analyse van de grootste problemen van uw kind en ga op zoek naar enkele hulpmiddelen die dit voor een deel kunnen oplossen. Het moet haalbaar blijven om deze maatregelen toe te passen in een klas met meerdere kinderen met een leerprobleem.

In de klas

Stickers of kartonnetjes toestaan
In therapie of thuis worden er vaak hulpmiddelen aangeleerd. Je mag van het kind met een leerstoornis niet verwachten dat het deze hulpmiddelen meteen beheerst. Zij hebben, zoals eerder al vermeld, behoefte aan herhaling. Daarom is het belangrijk dat stickertjes of kartonnetjes ook in de klas mogen worden gebruikt. Het kind heeft de veiligheid om even te kijken hoe het ook alweer in elkaar zat en tegelijkertijd wordt het sneller geautomatiseerd omdat het in veel situaties wordt toegepast. Om het gebruik nog te bevorderen, kan men ook vragen om telkens te turven wanneer het kind zijn hulpmiddeltje of kartonnetje heeft gebruikt.

In dit boek zitten stickertjes voor de tafels en de splitsingen, maar ook is uitgelegd welke hulpmiddeltjes gebruikt kunnen worden voor de klok, voor delingen, voor puntoefeningen en voor rekenkundige begrippen.

Bij veel telfouten het proefwerk mondeling laten toelichten
Voor sommige kinderen is het frustrerend om telkens lage cijfers te halen door kleine telfouten. Het is duidelijk dat ze de rekenstrategie wel beheersen, maar door onnauwkeurigheden gaat het steeds mis. Dit kan zijn omdat het technisch rekenen niet vlot verloopt, maar ook omdat de oefeningen niet mooi onder elkaar zijn gezet zodat de hele oefening verkeerd werd gemaakt. Wanneer dit vaak voorkomt, kan het zinvol zijn om het kind zijn proefwerk mondeling te laten toelichten en niet alleen maar cijfers te geven voor het resultaat maar ook voor de strategie.

Helpen met de richting
In de laatste kleuterklas/groep 2 begint het al: de naam wordt hardnekkig in de verkeerde richting geschreven of de oefeningen worden systematisch van rechts naar links gemaakt. Als dit in het eerste leerjaar/groep 3 nog voortduurt, moet het kind geholpen worden. Soms volstaat het om een kruisje te zetten waar het kind moet beginnen. Voor oudere kinderen kan het helpen om hun blad voor te structureren: een plaats voor de bewerking, voor de uitkomst én misschien een hulpblad waar de bewerking op kan gemaakt worden. Voor delen en vermenigvuldigen helpt het als de oefening al wordt voorgedrukt zodat het kind die alleen nog moet maken.

Richtingsproblemen bij linkshandigen moeten soms op een andere manier aangepakt worden. De hulpmiddelen komen niet altijd overeen. In dit boek wordt daar niet verder op ingegaan. Meer informatie hierover vindt u in Litière (2002) *Mijn kind leert schrijven (en hoe kan ik helpen)* Een gids voor ouders, leerkrachten en hulpverleners. Lannoo: Tielt. (Litière, 2002).

Ruitjespapier geven
Dit geldt vooral voor delen en vermenigvuldigen en voor het werken met kommagetallen. Ruitjespapier staat het kind toe om zijn getallen beter te schikken. Toch is dit nog geen garantie dat ze ook op de juiste manier onder elkaar komen. Soms is het nodig om boven aan het blad

Ik reken fout

ook nog eens de getalstructuur te verduidelijken. Het kan er dan als volgt uitzien:

			HD	TD	D	H	T	E	,	t	h	d							

Op deze manier hebben ze naast het hulpmiddel van ruitjespapier ook een houvast voor hun getalstructuur.
Je kunt als leerkracht zelf zulke bladen maken, maar je kunt ook aan het kind vragen om zelf voor zijn taken en proefwerken deze bladen mee te brengen. Dus een geruite blocnote met bovenaan de getalstructuur is een handig hulpmiddel.

Rekenmachine toestaan
Wanneer het hoofdrekenen moeizaam blijft gaan omdat het kind zijn tussenbewerkingen niet kan onthouden of de basisbewerkingen onvoldoende kent, kan men overwegen om ook op de basisschool een rekenmachine toe te staan. Wanneer de nadruk meer komt te liggen op het inzichtelijk rekenen dan op technisch rekenen, kan dit een aanvaardbaar hulpmiddel zijn. Wanneer het kind geen extra tijd krijgt om bijvoorbeeld zijn vraagstukken te maken, wordt het eigenlijk beoordeeld op zijn technisch rekenen en niet op het oplossen van vraagstukken. Zo krijg je een ander beeld van de mogelijkheden van het kind en het kind zelf wordt weer eens bevestigd in zijn gedachten dat het niet kan rekenen.
Een rekenmachine kun je bijvoorbeeld toestaan in de laatste jaren van de basisschool en bij overhoringen waarbij er iets anders dan hoofdrekenen wordt getest.

Ruim van tevoren proefwerk aankondigen

Doordat de automatisatie van nieuwe leerstof trager verloopt dan bij een kind zonder leerstoornissen, is het van groot belang dat het kind voldoende tijd heeft om nieuwe leerstof in te prenten. Wanneer nieuwe leerstof opgedeeld kan worden in kleine delen en er elke avond een stukje herhaald kan worden, is de kans op succes veel groter. Dit is ook de reden waarom overhoringen van nieuwe leerstof die snel na het leren worden gehouden, meestal op een fiasco uitdraaien. Kinderen met een leerstoornis hebben tijd nodig om nieuwe leerstof in te prenten.

Kruisje zetten voor de reeks waar een fout in zit

Een rekenproefwerk maken is voor elk kind met een rekenstoornis een hele opgave. Een proefwerk daarna nog nakijken vraagt te veel energie. Met het logische gevolg dat deze stap wordt overgeslagen. Om deze stap toch aan te moedigen, kan de leerkracht tijdens het proefwerk of de ouder/therapeut tijdens het huiswerk een kruisje zetten voor de oefening die fout is gemaakt. Op deze manier ziet het kind het weer zitten om na te kijken.
Sommige leerkrachten werken ook met een groene en rode verbeterpen. Wanneer het kind zelf de fout heeft ontdekt (nadat de leerkracht kruisjes heeft gezet), mag het deze in het groen verbeteren en telt dit niet als fout. Wanneer het dan toch nog fout blijkt te zijn, wordt het door de leerkracht in het rood verbeterd. Opnieuw wordt het gericht nakijken aangemoedigd.

Tabel voor metend rekenen toestaan

Net zoals bij de getalstructuur is het ook belangrijk om de tabel voor de verschillende eenheidsmaten te mogen gebruiken. Omzetting van maten en gewichten is erg ruimtelijk, maar met een juist gebruik van de tabel wordt dit een stuk makkelijker. In een eerder hoofdstuk werd al uitgelegd op welke manier een tabel best wordt gebruikt.

Tijd geven

Bij alle kinderen met een leerstoornis speelt de tijdsfactor een grote rol. Wanneer zij voldoende tijd krijgen om hun taak of proefwerk te mogen maken, is al een groot deel van hun probleem opgelost. Immers, het toepassen van regels en hulpmiddelen vraagt tijd!

Hulpmiddelen voor iedereen

Soms gebruiken leerkrachten deze kartonnetjes voor de hele klas of hangen ze het hulpmiddel op in de klas. Uit ervaring blijkt dat ook de andere kinderen hier hun voordeel uit halen. Ook zij passen de strategieën gerichter toe en vinden het zelfs leuk wanneer ze mogen turven. Wanneer het in klasverband wordt gedaan, krijg je automatisch een groepseffect. Kinderen gaan ook aan hun regels of trucjes denken omdat ze anderen zien turven.

Naast het remediëren zijn er ook nog heel wat mogelijkheden om te compenseren in de klas. Het is niet mogelijk om alle hulpmiddelen bij één kind toe te passen. Dit zal ook niet nodig zijn. Want wanneer bijvoorbeeld de splitsingen beheerst zijn, mogen deze stickertjes weg en komt er plaats voor iets nieuws. Als leerkracht of ouder heb je meestal een goed beeld van de sterktes en zwaktes van het kind waardoor je de hulpmiddelen goed kunt afstemmen op het probleem.

Ouders vragen vaak raad over wat ze thuis kunnen doen en hoe ze de huiswerksituatie best kunnen aanpakken. Die huiswerksituatie is immers vaak een lijdensweg voor ouder en kind.

Tijdens de huiswerksituatie

Stickers of kartonnetjes gebruiken

Om een vaardigheid geautomatiseerd te krijgen, is het nodig dat deze zo vaak mogelijk en ook op zoveel mogelijk plaatsen wordt toegepast, dus niet alleen in de klassituatie maar ook thuis en in therapie. Belangrijk is wel dat in alle situaties hetzelfde hulpmiddel wordt gebruikt en ook door iedereen op dezelfde manier wordt uitgelegd. Als ouder stimuleer je dus het 'kaartjesgebruik'. Het is immers niet belangrijk om veel oefeningen te maken maar het is wel belangrijk dat het kind de regel vaak verwoordt en gebruikt. De regels moeten verinnerlijkt worden.

Werkduur afspreken

Soms vertellen ouders dat zij elke avond na school nog twee uur bezig zijn met het huiswerk van hun kind. En daarbij komt soms ook nog eens de therapie. Voor kinderen van de basisschool is het nog steeds belangrijk dat zij ook kind kunnen zijn en kunnen spelen. Daarom is het soms verstandig om de werkduur af te bakenen. Is het huiswerk niet af, dan wordt er bijvoorbeeld een aantekening in de agenda gemaakt. Het is wel verstandig om bij huiswerktaken steeds van elke soort een oefening te doen in plaats van alleen de eerste kolom. Wanneer alleen de eerste kolom af is, is het risico groot dat niet de volledige leerstof is geoefend. Daarom kan er bijvoorbeeld gekozen worden voor het maken van telkens de eerste en de laatste oefening van elke kolom.

Niet de kwantiteit maar de kwaliteit is belangrijk

Het probleem is niet opgelost enkel en alleen omdat er vele bladzijden met oefeningen gemaakt worden. Veel belangrijker is om voor het kind een eenvoudigere strategie te bedenken en die systematisch te oefenen en daarna op een kaartje te schrijven. Elke dag eventjes oefenen en door het kind laten uitleggen hoe een bepaalde rekenmoeilijkheid wordt aangepakt, is veel zinvoller dan een volledig vel met oefeningen te laten maken.

Zelfontdekkend leren stimuleren

Hiermee wordt bedoeld dat het kind iets beter zal onthouden wanneer het zelf tot een hulpmiddel of oplossing is gekomen dan wanneer de volwassene het voorkauwt. Door gerichte vragen te stellen, moet het kind proberen om zelf de antwoorden te vinden. Hierdoor vertraagt natuurlijk het werktempo, maar dit wordt later gecompenseerd omdat het kind de hulpmiddelen beter onthoudt.

De meeste kans op succes bij het toepassen van deze hulpmiddelen is wanneer er een goed overleg bestaat tussen school, ouders en therapeut. Een heen-en-weerschriftje kan hierbij helpen, maar geregeld overleg is onmisbaar.

Bij een volgend overleg of schoolbezoek kan onderstaande lijst misschien een uitgangspunt zijn. Leerkracht en ouders kunnen aankruisen welke hulpmiddelen geschikt zouden zijn voor hun kind. Er werd ook ruimte opengelaten voor eventuele aanvullingen. Men moet steeds rekening houden met het feit dat leerkrachten ook geen 'supermensen' zijn. Het meeste succes behaal je door haalbare voorstellen te doen. Enkele werkpunten per keer zal dan ook voldoende zijn.

Ik reken fout

Hulpmiddelen voor in de klas	Aankruisen indien nodig
Stickertjes of kartonnetjes toestaan	
Bij veel telfouten het proefwerk mondeling laten toelichten	
Helpen met de richting	
Ruitjespapier geven	
Rekenmachine toestaan	
Ruim van tevoren proefwerk aankondigen	
Kruisje zetten voor de reeks waar een fout in zit	
Tabel voor metend rekenen toestaan	
Tijd geven	
Hulpmiddelen voor iedereen	
....	
Hulpmiddelen voor thuis	
Stickers of kartonnetjes gebruiken	
Werkduur afspreken	
Niet de kwantiteit maar de kwaliteit is belangrijk	
Zelfontdekkend leren stimuleren	
....	

Tips voor in de klas en thuis

Besluit

Dat een leerprobleem een grote sociaal-emotionele invloed heeft, werd al duidelijk in voorgaande hoofdstukken. Dat kinderen met een leerstoornis geholpen kunnen worden met gerichte therapie, kwam ook al aan bod. Maar in dit hoofdstuk is vooral de nadruk gelegd op het feit dat naast therapie ook hulpmiddelen noodzakelijk zijn om het zelfbeeld van het kind 'op te krikken' en zich goed te laten voelen in de klas. Vaak is de therapie nog niet ver genoeg gevorderd en is het nodig dat er in de klas of thuis extra maatregelen worden getroffen. Dit kan gebeuren door afspraken te maken in verband met taken en proefwerken: een andere beoordeling, het aantal oefeningen beperken, werken met hulpmiddelen...

Het aanbrengen van hulpmiddelen of strategieën om tot een oplossing te komen, wordt extra gestimuleerd door de stickertjes.

Tot slot werden alle tips voor thuis en in de klas nog eens op een rijtje gezet. Dit vormt misschien een uitgangspunt voor een volgend oudercontact.

14. Besluit

Dat kinderen met een rekenprobleem na het doorlopen van dit boek zonder moeite hun rekenwerk of -proefwerk zullen maken, is een te hoge verwachting. Maar dat het veel gemakkelijker gaat en dat ze bovendien een stuk zelfvertrouwen krijgen, is wel haalbaar.
En zelfs... Marloes vertelde na een aantal maanden werken op een bijna verlegen toon: 'Ik denk dat ik rekenen nog leuk ga vinden!'

Een kind met leerstoornissen heeft veel structuur en herhaling nodig. Die structuur wordt hier gegeven in de vorm van kleine hulpmiddelen en trucjes die zowel ouders en leerkrachten als therapeuten hun kunnen leren. Vaak wordt geprobeerd op hun sterke kanten te steunen. Kinderen met een rekenstoornis zijn namelijk talig vaak beter. Daarom wordt er geregeld benadrukt dat ze de hulpmiddelen moeten verwoorden.
Niet altijd wordt rekeninzicht verkregen, maar als ouders, leerkrachten of therapeuten moeten we ook hiermee leren omgaan. Sommige kinderen zullen nooit sterk worden in wiskunde, maar het is van groot belang dat ze zich goed voelen in de klas en dat ze het gevoel krijgen dat ze met getallen kunnen omgaan. Ook al komen ze misschien op een heel andere manier tot een oplossing.

In dit boek zijn volgende hulpmiddelen aan de orde gekomen: tafels, delingen, klokkijken, splitsingen tot 10, tellen en brugoefeningen tot 10, getallenstructuur tot 1.000.000, maten en gewichten, kommagetallen, rekenbegrippen en nog veel meer.
Soms is het ook nodig dat men het kind, naast therapie, in de klas extra ondersteunt door speciale maatregelen te treffen (bijvoorbeeld minder oefeningen laten maken) of compenserende hulpmiddelen toe te staan (bijvoorbeeld rekenmachine). Deze tips voor in de klas en voor thuis zijn aan het eind van het boek (p. 217-224) toegevoegd.

En een praktisch boek zou niet praktisch zijn als er oefeningen zouden ontbreken. Daarom werd voor bijna elke problematiek een aantal oefeningen toegevoegd die systematisch zijn opgebouwd. Toch zijn dit er onvoldoende om een rekenprobleem volledig te remediëren. Ze zijn als leidraad bedoeld om een verdere therapie gestructureerd te kunnen uitbouwen.

En tot slot zetten we alle hulpmiddelen nog eens op een rijtje. Hiermee kunnen ouders, leerkrachten en therapeuten aan de slag. Er werd in dit boek vaak gesproken over het maken van kartonnetjes om in de klas te gebruiken. Met deze voorbeelden moet het lukken om de hulpmiddelen te maken, ze op een kartonnetje te plakken en ze in het etui te stoppen of op de tafel te leggen.

Het is niet de bedoeling om alle hulpmiddelen uit te knippen en op de tafel te leggen. Zorg eerst voor een goede analyse van het probleem. Dit kan gebeuren door een therapeut met ervaring op het gebied van rekenstoornissen. Daarna kun je als ouder of leerkracht aan de slag.

Geduld, herhaling en gestructureerd werken zijn enkele sleutelbegrippen in de weg naar succes! Een groeiend zelfvertrouwen, vrolijke en aandachtige kinderen in de klas en dankbaarheid zullen het resultaat zijn.

Ik reken fout

15. Literatuur

American Psychiatric Association (2000). *Beknopte handleiding bij de diagnostische criteria van de DSM-IV*. Lisse: Swets & Zeitlinger Publishers.

Ceyssens, M. (2001). *Ik schreif faut. Omgaan met dyslexie. Gids voor ouders, leerkrachten en hulpverleners*. Lannoo: Tielt.

Erp, J.W.H. van. (1989). Het rekenmannetje. Afrekenen met problemen bij optellen en aftrekken. Groningen.

Henderson, A. (2001). *Maths for the dyslexic. A practical guide*. London: David Fulton Publishers.

Litière M. (2002). *Mijn kind leert schrijven (en hoe kan ik helpen). Een gids voor ouders, leerkrachten en hulpverleners*. Lannoo: Tielt.

Maniet-Bellerman, P. (red.) (1997). *'Wij zijn niet dom!' Praktische tips van en voor leerlingen met leerstoornissen*. Leuven-Apeldoorn: Garant.

Mönks, F.J., & Knoers, A.M.P. (1999). *Ontwikkelingspsychologie. Inleiding tot de verschillende deelgebieden*. Assen: Van Gorcum.

Ruijssenaars, A.J.J.M. (1997). *Rekenproblemen. Theorie, diagnostiek, behandeling*. Rotterdam: Lemniscaat.

Timmerman K. & Van der Schoot D. (1995). Kinderen met ruimtelijke-visuele problemen. Een beren-aanpak. Acco: Leuven/Amersfoort.

Overzicht van de hulpmiddelen

uit 'Splitsingen onder 10'

Splitsingen van 10

Splitsingen van 8

uit 'Tussen 10 en 20'

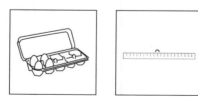

Ik reken fout

uit 'Rekentaal: minder, meer, splitsen...'

uit 'Tafels: hulp of last?'

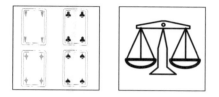

Tafel van 7

Tafel van 8

uit: 'Klokkijken: kwart over of kwart voor?

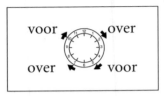

uit: 'Breken-breuken-gebroken'

	+ en -	x	:	
3 4	• noemers gelijk maken • enkel tellers optellen of aftrekken • vereenvoudigen	• teller x teller • noemer x noemer • vereenvoudigen	• 2de breuk omdraaien • x in plaats van: • uitvoeren zoals bij x • vereenvoudigen	• teken een groot maalteken • steeds bij 2 getallen x doen • vereenvoudigen

Ik reken fout

Als het niet Julie, Aurelie, Valentina, Helena, Robbe, Helene, Ulrike, Charlotte, Jonas, Pieter, Kristof... waren geweest die mij gedwongen hadden om voor hen hulpmiddelen te zoeken, dan was het waarschijnlijk een heel ander boek geworden. Want elk kind vraagt een eigen aanpak!

Opvoedingsboeken bij Lannoo

Peter Adriaenssens,
OPVOEDEN IS EEN GROEIPROCES
ISBN 90 209 4118 8 – € 16,95

Peter Adriaenssens,
VAN HIERAF MAG JE GAAN
ISBN 90 209 3887 8 – € 16,95

Ivo Engelen,
KIJK MAMA, ZONDER HANDEN!
ISBN 90 209 4315 4 - € 16.95

Martin Valcke,
MAG IK OP DE COMPUTER?
ISBN 90 209 4190 9 – € 15,95

Marc Litiere,
'IK KAN DAT NIET!', ZEGT MIJN KIND
ISBN 90 209 4117 8 – € 14,95

Marc Litière
MIJN KIND LEERT SCHRIJVEN
ISBN 90 209 4876 8 – € 19,95

ALLES WENT, OOK EEN ADOLESCENT
Wegwijzer bij het opvoeden van jongeren

Theo Compernolle
Hilde Lootens
Rob Moggré
Theo van Eerden
ISBN 90 209 5050 9 – € 14,95

Michael J. Bradley
JA, JE TIENER IS CRAZY
ISBN 90 209 5025 8 – € 19,95

Herman Van den Broeck
OPVOEDEN IN DE KLAS
wegwijzer voor leerkrachten
ISBN 90 209 4916 0 – € 16,95

Stef Desodt
KINDEREN OPVOEDEN
ISBN 90 209 4115 1 – € 11,95

Compernolle & Doreleijers
ZIT STIL
ISBN 90 209 4454 1 – € 16,95

Rita Bollaert
ZIT STIL OP SCHOOL
ISBN 90 209 4872 5 – € 16,95

Martine Ceyssens
IK SCHREIF FAUT
Omgaan met dyslexie
ISBN 90 209 4451 7 – € 16,95

Alvin Rosenfeld & Nicole Wise
OVER-OPVOEDEN
ISBN 90 209 4536 x – € 16,95

Meer info over deze en andere boeken op www.lannoo.com/opvoeding